ERNESTO SABATO

ANTES DEL FIN

SEIX BARRAL

Diseño de cubierta: Mario Blanco
Diseño de interior: Orestes Pantelides

Séptima edición: enero de 1999
© 1998, Ernesto Sabato

Derechos exclusivos de edición en castellano
reservados para todo el mundo:
© 1998, Compañía Editora Espasa Calpe Argentina S.A./Seix Barral
Independencia 1668, 1100 Buenos Aires

ISBN 950-731-220-X
Hecho el depósito que prevé la ley 11.723
Impreso en la Argentina

*A la memoria
de mi madre,
de Matilde,
de Jorge Federico*

Palabras preliminares

Vengo acumulando muchas dudas, tristes dudas sobre el contenido de esta especie de testamento que tantas veces me han inducido a publicar; he decidido finalmente hacerlo. Me dicen: "Tiene el deber de terminarlo, la gente joven está desesperanzada, ansiosa y cree en usted; no puede defraudarlos". Me pregunto si merezco esa confianza, tengo graves defectos que ellos no conocen, trato de expresarlo de la manera más delicada, para no herirlos a ellos, que necesitan tener fe en algunas personas, en medio de este caos, no sólo en este país sino en el mundo entero. Y la manera más delicada es decirles, como a menudo he escrito, que no esperen encontrar en este libro mis verdades más atroces; únicamente las encontrarán en mis ficciones, en esos bailes siniestros de enmascarados que, por eso, dicen o revelan verdades que no se animarían a confesar a cara descubierta. También los grandes carnavales de otros tiempos eran como un vómito colectivo, algo esencialmente sano, algo que los dejaba de nuevo aptos para soportar la vida, para sobrellevar la existencia, y hasta he llegado a pensar que si Dios existe, está enmascarado.

Sí, escribo esto sobre todo para los adolescentes y jóvenes, pero también para los que, como yo, se acercan a la muerte, y se preguntan para qué y por qué hemos vivido y aguantado, soñado, escrito, pintado o, simplemente, esterillado sillas. De este modo, entre negativas a escribir estas páginas finales, lo estoy haciendo cuando mi yo más profundo, el más misterioso e irracional, me inclina a hacerlo. Quizás ayude a encontrar un sentido de trascendencia en este mundo plagado de horrores, de traiciones, de envidias; desamparos, torturas y genocidios. Pero también de pájaros que levantan mi ánimo cuando oigo sus cantos, al amanecer; o cuando mi vieja gatita viene a recostarse sobre mis rodillas; o cuando veo el color de las flores, a veces tan minúsculas que hay que observarlas desde muy cerca.

Modestísimos mensajes que la Divinidad nos da de su existencia. Y no sólo a través de las inocentes criaturas de la naturaleza sino, también, encarnada en esos héroes anónimos como aquel pobre hombre que, en el incendio de una villa miseria, tres veces entró a una casilla de chapas donde habían quedado encerrados unos chiquitos —que los padres habían dejado para ir a su trabajo— hasta morir en el último intento. Mostrándonos que no todo es miserable, sórdido y sucio en esta vida, y que ese pobre ser anónimo, al igual que esas florcitas, es una prueba del Absoluto.

I

Primeros tiempos y grandes decisiones

Como un exiliado
camino por las callejuelas
de la ciudad más antigua,
la primera en nacer.
Mi alma va delante de mí,
vacilante y ansiosa.
¿Qué la perturba?
¿Su abandono o su búsqueda
de una nueva morada?
Allí estoy,
sonámbula,
huérfana y vencida.
Añoro la playa y las altas colinas
y aquella barca azul
que cerca de la costa
está esperándome.

MATILDE KUSMINSKY-RICHTER

Me acabo de levantar, pronto serán las cinco de la madrugada; trato de no hacer ruido, voy a la cocina y me hago una taza de té, mientras intento recordar fragmentos de mis semisueños, esos semisueños que, a estos ochenta y seis años, se me presentan intemporales, mezclados con recuerdos de la infancia. Nunca tuve buena memoria, siempre padecí esa desventaja; pero tal vez sea una forma de recordar únicamente lo que debe ser, quizá lo más grande que nos ha sucedido en la vida, lo que tiene algún significado profundo, lo que ha sido decisivo —para bien y para mal— en este complejo, contradictorio e inexplicable viaje hacia la muerte que es la vida de cualquiera. Por eso mi cultura es tan irregular, colmada de enormes agujeros, como constituida por restos de bellísimos templos de los que quedan pedazos entre la basura y las plantas salvajes. Los libros que leí, las teorías que frecuenté, se debieron a mis propios tropiezos con la realidad.

Cuando me detienen por la calle, en una plaza o en el tren, para preguntarme qué libros hay que leer, les digo siempre: "Lean lo que les apasione, será lo único que los ayudará a soportar la existencia".

Por eso descarté el título de *Memorias* y también el de *Memorias de un desmemoriado*, porque me pareció casi un juego de palabras, inadecuado para esta especie de testamento, escrito en el período más triste de mi vida. En este tiempo en que me siento un desvalido, al no recordar poemas inmortales sobre el tiempo y la muerte que me consolarían en estos años finales.

En el pueblo de campo donde nací, antes de irnos a dormir, existía la costumbre de pedir que nos despertaran diciendo: "Recuérdenme a las seis". Siempre me asombró aquella relación que se hacía entre la memoria y la continuación de la existencia.

La memoria fue muy valorada por las grandes culturas, como resistencia ante el devenir del tiempo. No el recuerdo de simples acontecimientos, tampoco esa memoria que sirve para almacenar información en las ahora computadoras: hablo de la necesidad de cuidar y transmitir las primigenias verdades.

En las comunidades arcaicas, mientras el padre

iba en busca de alimento y las mujeres se dedicaban a la alfarería o al cuidado de los cultivos, los chiquitos, sentados sobre las rodillas de sus abuelos, eran educados en su sabiduría; no en el sentido que le otorga a esta palabra la civilización cientificista, sino aquella que nos ayuda a vivir y a morir; la sabiduría de esos consejeros, que en general eran analfabetos, pero, como un día me dijo el gran poeta Senghor, en Dakar: "La muerte de uno de esos ancianos es lo que para ustedes sería el incendio de una biblioteca de pensadores y poetas". En aquellas tribus, la vida poseía un valor sagrado y profundo; y sus ritos, no sólo hermosos sino misteriosamente significativos, consagraban los hechos fundamentales de la existencia: el nacimiento, el amor, el dolor y la muerte.

En torno a penumbras que avizoro, en medio del abatimiento y la desdicha, como uno de esos ancianos de tribu que, acomodados junto al calor de la brasa, rememoran sus antiguos mitos y leyendas, me dispongo a contar algunos acontecimientos, entremezclados, difusos, que han sido parte de tensiones profundas y contradictorias, de una vida llena de equivocaciones, desprolija, caótica, en una desesperada búsqueda de la verdad.

Me llamo Ernesto, porque cuando nací, el 24 de junio de 1911, día del nacimiento de san Juan Bautista, acababa de morir el otro Ernesto, al que, aun en su vejez, mi madre siguió llamando Ernestito, porque murió siendo una criatura. "Aquel niño no era para este mundo", decía. Creo que nunca la vi llorar —tan estoica y valiente fue a lo largo de su vida— pero, seguramente, lo haya hecho a solas. Y tenía noventa años cuando mencionó, por última vez, con sus ojos humedecidos, al remoto Ernestito. Lo que prueba que los años, las desdichas, las desilusiones, lejos de facilitar el olvido, como se suele creer, tristemente lo refuerzan.

Aquel nombre, aquella tumba, siempre tuvieron para mí algo de nocturno, y tal vez haya sido la causa de mi existencia tan dificultosa, al haber sido marcado por esa tragedia, ya que entonces estaba en el vientre de mi madre; y motivó, quizá, los misteriosísimos pavores que sufrí de chico, las alucinaciones en las que de pronto alguien se me aproximaba con una linterna, un hombre a quien me era imposible evitar, aunque me escondiera temblando debajo de las cobijas. O aquella otra pesadilla en la que me sentía solo en una cósmica bóveda, tiritando ante algo o alguien —no lo puedo precisar— que vagamente me recordaba a mi padre. Durante mucho tiempo padecí sonambulismo. Yo me levantaba desde el último cuarto donde dormíamos con Arturo, mi hermano menor y, sin tropezar jamás ni despertarme, iba hasta el dormitorio de mis padres, hablaba con mamá y luego, volvía a mi cuarto. Me acostaba sin saber nada de lo que había pasado, sin la menor conciencia. De modo que cuando a la mañana ella me decía, con tristeza —¡tanto sufrió por mí!—, con voz apenas audible: "Anoche te levantaste y me pediste agua", yo sentía un extraño temblor. Ella temía ese sonambulismo, me lo dijo muchos años más tarde, cuando me enviaron a La Plata para hacer los estudios secundarios, y ya ella no estuvo para protegerme. Pobre mamá, no comprendía, ni yo tampoco en aquel entonces, que ese tormento en gran parte era el resultado de la convivencia espartana, regida por mi padre.

La tierra de mi infancia, como un pueblo estremecido por fuerzas extrañas, se hallaba invadida por el terror que sentía hacia él. Lloraba a escondidas, ya que nos estaba prohibido hacerlo y, para evitar sus ataques de violencia, mamá corría a ocultarme. Con tal desesperación mi madre se había aferrado a mí para protegerme, sin desearlo, ya que su amor y su bondad eran infinitos, que acabó aislándome del mundo. Convertido en un niño solo y asustado, desde la ventana contemplaba el mundo de trompos y escondidas que me había sido vedado.

De alguna manera, nunca dejé de ser el niño solitario que se sintió abandonado, por lo que he vivido bajo una angustia semejante a la de Pessoa: *seré siempre el que esperó a que le abrieran la puerta, junto a un muro sin puerta.*

Y así, de una u otra forma, necesité compasión y cariño.

Cuando me enviaron desde mi pueblo al Colegio Nacional de La Plata para hacer el secundario, en el instante en que me pusieron en el ferrocarril, sentí resquebrajarse el suelo incierto sobre el cual me movía, pero al que aún le aguardaban peores hundimientos. Durante un tiempo, seguí soñando con aquella madre que veía entre lágrimas, mientras me alejaba hacia qué infinita soledad. Y cuando la vida había marcado ya en mi rostro las desdichas, cuántas veces, en un banco de plaza, apesadumbrado y abatido, he esperado nuevamente un tren de regreso.

Camino por la Costanera Sur contemplando el portentoso río que, en el crepúsculo del siglo pasado, cruzaron miles de españoles, italianos, judíos, polacos, albaneses, rusos, alemanes, corridos por el hambre y la miseria. Los grandes visionarios que entonces gobernaban el país, ofrecieron esa metáfora de la nada que es nuestra pampa a "Todos los hombres de buena voluntad", necesitados de un hogar, de un suelo en que arraigarse, dado que es imposible vivir sin patria, o Matria, como prefería decir Unamuno, ya que es la madre el verdadero fundamento de la existencia. Pero en su mayoría, esos hombres encontraron otro tipo de pobreza, causada por la soledad y la nostalgia, porque mientras el barco se alejaba del puerto, con el rostro surcado por lágrimas, veían cómo sus madres, hijos, hermanos, se desvanecían hacia la muerte, ya que nunca los volverían a ver.

De ese irremediable desconsuelo nació la más extraña canción que ha existido, el tango. Una vez el genial Enrique Santos Discépolo, su máximo creador, lo definió como un pensamiento triste que se baila. Artistas sin pretensiones, con los instrumentos que les venían a mano, algún violín, una flauta, una guitarra, escribieron una parte fundamental de nuestra historia sin saberlo. ¿Qué marinero, desde algún puerto germánico, trajo entre sus manos el instrumento que le daría su sello más hondo y dramático: el bandoneón? Creado para servir a Dios por las calles, en canciones religiosas de los servicios luteranos, aquel instrumento humilde encontró su destino a miles de leguas. Con el bandoneón, sombrío y sagrado, el hombre pudo expresar sus sentimientos más profundos.

Cuántos de esos inmigrantes seguirían viendo sus montañas y sus ríos, separados por la pena y por los años, desde esta inmensa factoría caótica, esta ciudad levantada sobre el puerto, y ahora convertida en un desierto de amontonadas soledades.

Y al caminar por este terrible Leviatán, por las costas que por primera vez divisaron aquellos inmigrantes, creo oír el melancólico quejido del bandoneón de Troilo.

Cuando la desdicha y el furor de Buenos Aires
hacen sentir más la soledad,
busco un suburbio en el crepúsculo, y
 entonces,
a través de un brumoso territorio de medio
 siglo
enriquecido y devastado por el amor y el desen-
gaño,
miro hacia aquel niño que fui en otro tiempo.
Melancólicamente me recuerdo
sintiendo las primeras gotas de una lluvia
en la tierra reseca de mis calles sobre los techos
 de zinc
"que llueva que llueva la vieja está en la cueva"
hasta que los pájaros cantaban y corríamos
 descalzos
a largar los barquitos de papel.
Tiempo de las cintas de Tom Mix
y de las figuritas de colores,
de Tesorieri, Mutis y Bidoglio,
tiempos de las calesitas a caballo,
de los manises calientes en las tardes
 invernales
de la locomotora chiquita y su silbato.
Mundo que apenas entrevemos cuando
 estamos muy solos

en este caos del ruido y del cemento
ya sin lugar para los patios con glicinas y
  claveles.

Entre esa multitud de colonizadores, mis padres llegaron a estas playas con la esperanza de fecundar esta "Tierra de promisión", que se extendía más allá de sus lágrimas.

Mi padre descendía de montañeses italianos, acostumbrados a las asperezas de la vida, en cambio mi madre, que pertenecía a una antigua familia albanesa, debió soportar las carencias con dignidad.

Juntos se instalaron en Rojas que, como gran parte de los viejos pueblos de la pampa, fue uno de los tantos fortines que levantaron los españoles y que marcaban la frontera de la civilización cristiana.

Recuerdo a un viejo indio que me contaba anécdotas de sangrientas luchas y de malones, que trenzaba sus tientos con paciencia y que, cuando le dijeron que transmitirían por una radio a galena la pelea de Firpo con Dempsey, contestó "cuando más cencia más mandinga".

En este pueblo pampeano mi padre llegó a tener un pequeño molino harinero. Centro de candorosas fantasías para el niño que entonces yo era, cuando los domingos permanecía en el taller haciendo cositas en la carpintería, o subíamos con Arturo a las bolsas de trigo, y a escondidas, como si fuera un misterioso secreto, pasábamos la tarde comiendo galletitas.

Mi padre era la autoridad suprema de esa familia en la que el poder descendía jerárquicamente hacia los hermanos mayores. Aún me recuerdo mirando con miedo su rostro surcado a la vez de candor y dureza. Sus decisiones inapelables eran la base de un férreo sistema de ordenanzas y castigos, también para mamá. Ella, que siempre fue muy reservada y estoica, es probable que a solas haya sufrido ese carácter tan enérgico y severo. Nunca la oí quejarse y, en medio de esas dificultades, debió asumir la ardua tarea de criar once hijos varones.

La educación que recibimos dejó huellas tristes y perdurables en mi espíritu. Pero esa educación, a menudo durísima, nos enseñó a cumplir con el deber, a ser consecuentes, rigurosos con nosotros mismos, a trabajar hasta terminar cualquier tarea empezada. Y si hemos logrado algo, ha sido por esos atributos que ásperamente debimos asimilar.

La severidad de mi padre, en ocasiones terrible, motivó, en buena medida, esa nota de fondo de mi espíritu, tan propenso a la tristeza y a la melancolía. Pero también fue el origen de la rebeldía en dos de mis hermanos que huyeron de casa: Humberto, de quien luego hablaré, y Pepe, llamado en nuestro pueblo "el loco Sabato", que acabó yéndose con un circo, para deshonra de mi familia burguesa. Decisión que entristeció a mi madre, pero que ella sobrellevó con el estoicismo que mantuvo hasta su vejez, cuando a los noventa años, luego de largos padecimientos, murió serenamente en su cama en brazos de Matilde.

Mi hermano Pepe tuvo pasión por el teatro y actuaba en los conjuntos pueblerinos que se llamaban "Los treinta amigos unidos" y, cuando en el cine-teatro *La Perla*, se ponían en escena sainetes criollos, él siempre conseguía algún papel, por pequeño que fuese. En su cuarto tenía toda la colección de *Bambalinas* que se editaba en Buenos Aires con tapas de colores, donde además de esos sainetes se publicaban obras de Ibsen y una, que aún recuerdo, de Tolstoi. Toda esa colección fue devorada por mí antes de los doce años, marcando fuertemente mi vida, ya que siempre me apasionó el teatro, y aunque escribí varias obras, nunca salieron de mis cajones.

Debajo de la aspereza en el trato, mi padre ocultaba su lado más vulnerable, un corazón cándido y generoso. Poseía un asombroso sentido de la belleza, tanto que, cuando debieron trasladarse a La Plata, él mismo diseñó la casa en que vivimos. Tarde descubrí su pasión por las plantas, a las que cuidaba con una delicadeza para mí hasta entonces desconocida. Jamás lo he visto faltar a la palabra empeñada, y con los años, admiré su fidelidad hacia los amigos. Como fue el caso de don Santiago, el sastre que enfermó de tuberculosis. Cuando el doctor Helguera le advirtió que la única posibilidad de sobrevivir era irse a las sierras de Córdoba, mi padre lo acompañó en uno de esos estrechos camarotes de los viejos ferrocarriles, donde el contagio parecía inevitable.

Recuerdo siempre esta actitud que define su devoción por la amistad y que supe valorar varios años después de su muerte, como suele ocurrir en esta vida que, a menudo, es un permanente desencuentro. Cuando se ha hecho tarde para decirle que lo queremos a pesar de todo y para agradecerle los esfuerzos con que intentó prevenirnos de las desdichas que son inevitables y, a la vez, aleccionadoras.

Porque no todo era terrible en mi padre, y con nostalgia entreveo antiguas alegrías, como las noches en que me tenía sobre sus rodillas y me cantaba canciones de su tierra, o cuando por las tardes, al regresar del juego de naipes en el Club Social, me traía *Mentolina*, las pastillas que a todos nos gustaban.

Desgraciadamente, él ya no está y cosas fundamentales han quedado sin decirse entre nosotros; cuando el amor es ya inexpresable, y las viejas heridas permanecen sin cuidado. Entonces descubrimos la última soledad: la del amante sin el amado, los hijos sin sus padres, el padre sin sus hijos.

Hace muchos años fui hasta aquella Paola de San Francesco donde un día se enamoró de mi madre; entreviendo su infancia entre esas tierras añoradas, mirando hacia el Mediterráneo, incliné la cabeza y mis ojos se nublaron.

A medida que nos acercamos a la muerte, también nos inclinamos hacia la tierra. Pero no a la tierra en general sino a aquel pedazo, a aquel ínfimo pero tan querido, tan añorado pedazo de tierra en que transcurrió nuestra infancia. Y porque allí dio comienzo el duro aprendizaje, permanece amparado en la memoria. Melancólicamente rememoro ese universo remoto y lejano, ahora condensado en un rostro, en una humilde plaza, en una calle.

Siempre he añorado los ritos de mi niñez con sus Reyes Magos que ya no existen más. Ahora, hasta en los países tropicales, los reemplazan con esos pobres diablos disfrazados de Santa Claus, con pieles polares, sus barbas largas y blancas, como la nieve de donde simulan que vienen. No, estoy hablando de los Reyes Magos que en mi infancia, en mi pueblo de campo, venían misteriosamente cuando ya todos los chiquitos estábamos dormidos, para dejarnos en nuestros zapatos algo muy deseado; también en las familias pobres, en que apenas dejaban un juguete de lata, o unos pocos caramelos, o alguna tijerita de juguete para que una nena pudiera imitar a su madre costurera, cortando vestiditos para una muñeca de trapo.

Hoy a esos Reyes Magos les pediría sólo una cosa: que me volvieran a ese tiempo en que creía en ellos, a esa remota infancia, hace mil años, cuando me dormía anhelando su llegada en los milagrosos camellos, capaces de atravesar muros y hasta de pasar por las hendiduras de las puertas —porque así nos explicaba mamá que podían hacerlo—, silenciosos y llenos de amor. Esos seres que ansiábamos ver, tardándonos en dormir, hasta que el invencible sueño de todos los chiquitos podía más que nuestra ansiedad. Sí, querría que me devolvieran aquella espera, aquel candor. Sé que es mucho pedir, un imposible sueño, la irrecuperable magia de mi niñez con sus navidades y cumpleaños infantiles, el rumor de las chicharras en las siestas de verano. Al caer la tarde, mamá me enviaría a la casa de Misia Escolástica, la Señorita Mayor; momentos del rito de las golosinas y las galletitas *Lola*, a cambio del recado de siempre: "Manda decir mamá que cómo está y muchos recuerdos". Cosas así, no grandes, sino pequeñas y modestísimas cosas.

Sí, querría que me devolvieran a esa época cuando los cuentos comenzaban "Había una vez..." y, con la fe absoluta de los niños, uno era inmediatamente elevado a una misteriosa realidad. O aquel conmovedor ritual, cuando llegaba la visita de los grandes circos que ocupaban la Plaza España y con silencio contemplábamos los actos de magia, y el número del domador que se encerraba con su león en una jaula ubicada a lo largo del picadero. Y el clown, Scarpini y Bertoldito, que gustaba de los papeles trágicos, hasta que una noche, cuando interpretaba *Espectros*, se envenenó en escena mientras el público inocentemente aplaudía. Al levantar el telón lo encontraron muerto, y su mujer, Angelita Alarcón, gran acróbata, lloraba abrazando desconsoladamente su cuerpo.

Lo rememoro siempre que contemplo los payasos que pintó Rouault: esos pobres bufones que, al terminar su parte, en la soledad del carromato se quitan las lentejuelas y regresan a la opacidad de lo cotidiano, donde los ancianos sabemos que la vida es imperfecta, que las historias infantiles con Buenos y Malvados, Justicia e Injusticia, Verdad y Mentira, son finalmente nada más que eso: inocentes sueños. La dura realidad es una desoladora confusión de hermosos ideales y torpes realizaciones, pero siempre habrá algunos empecinados, héroes, santos y artistas, que en sus vidas y en sus obras alcanzan pedazos del Absoluto, que nos ayudan a soportar las repugnantes relatividades.

En la soledad de mi estudio contemplo el reloj que perteneció a mi padre, la vieja máquina de coser New Home de mamá, una jarrita de plata y el Colt que tenía papá siempre en su cajón, y que luego fue pasado como herencia al hermano mayor, hasta llegar a mis manos. Me siento entonces un triste testigo de la inevitable transmutación de las cosas que se revisten de una eternidad ajena a los hombres que las usaron. Cuando los sobreviven, vuelven a su inútil condición de objetos y toda la magia, todo el candor, sobrevuela como una fantasmagoría incierta ante la gravedad de lo vivido. Restos de una ilusión, sólo fragmentos de un sueño soñado.

> *Adolescente sin luz,*
> *tu grave pena llorás,*
> *tus sueños no volverán,*
> *corazón,*
> *tu infancia ya terminó.*

> *La tierra de tu niñez*
> *quedó para siempre atrás*

sólo podés recordar, con dolor,
los años de su esplendor.
Polvo cubre tu cuerpo,
nadie escucha tu oración,
tus sueños no volverán,
corazón, tu infancia ya terminó.

Al terminar la escuela primaria de mi pueblo, en 1923, en medio del desgarramiento más hondo de mi vida, mi hermano Pancho me llevó a La Plata para completar mis estudios. Recuerdo la primera noche, con su enigmática madrugada en la casa de la calle Pedro Echagüe, oyendo entre sueños un ruido inédito para mí, que a través de las décadas se ha conservado como una imagen de mi tristeza infantil: el sonido de los cascos de caballos y de las chatas por el empedrado. Remotísimos tiempos en que no había jeans, cuando los chicos llevábamos pantaloncitos cortos y los pantalones largos simbolizaban un terrible acontecimiento en nuestras vidas, marcado por el orgullo y por la vergüenza.

Muchas veces, lloré durante la noche en esa ciudad que luego llegó a estar tan entrañablemente unida a mi destino. En los penosos días que precedieron al comienzo de las clases, tuve uno de los dolores más grandes. Me había llevado al bosque una paletita de lata, una humilde imitación de la paleta de un pintor, comprada por mi hermano en la ferretería del pueblo. Tenía pastillas de acuarelas que para mí eran un tesoro, con las que copiaba láminas de almanaques. Recuerdo una *troika* en la nieve de una Rusia lejana y misteriosa.

Pregunté cómo ir hasta el famoso bosque de La Plata y allí me fui con las acuarelas, un frasco con agua, un par de pinceles y un cuaderno de hojas blancas. Me senté en el pasto entre los enormes eucaliptos y empecé a pintar uno de esos troncos descascarados, con sus cambiantes matices de verdes, ocres y marrones, imbricados de una manera que me conmovía. Todo era plácido en aquella mañana y, por el poder de la belleza, había olvidado mi melancolía. De pronto se produjo un cataclismo: yo tenía menos de doce años y estaba solo, en una ciudad desconocida, cuando sorpresivamente apareció un grupo de muchachones, de unos quince años, que riéndose de mí, me arrebataron la paleta, pisotearon las humildes pastillas de acuarela, me rompieron los pinceles y arrojaron lejos la botellita con agua; riéndose, hasta que se fueron. Durante un tiempo que me pareció infinito, yo permanecí sentado en el césped, mientras me caían las lágrimas. Luego logré levantarme y volví lentamente hacia mi pensión, pero me perdí y tuve que preguntar varias veces dónde estaba mi calle.

Cuando por fin llegué, entré en mi cuartito y permanecí todo el día en la cama. Tiritaba como si tuviese fiebre, o quizá la tuve.

He vuelto a la Universidad de La Plata ¡después de tantos años! y se han despertado en mí recuerdos olvidados, sentimientos que yacían en mi alma. En este colegio y en esta ciudad, se echaron las raíces de todo lo que luego tuvo que ser. Porque el tiempo transcurrido, las ciudades que más tarde recorrí por el mundo, no pudieron borrar sus calles arboladas, estos tilos, estos plátanos. Pasaron los años, pero una y otra vez vuelve a mi memoria esta ciudad, donde acontecieron momentos importantes de mi vida. Donde nos conocimos con Matilde, donde terminamos el bachillerato y luego la Universidad. Aquí nació nuestro hijo Jorge Federico y aquí murieron también nuestros padres. En estos patios, en este bosque a veces auspicioso, a veces melancólico, se forjaron las ideas esenciales que me acompañaron en la vida.

La Universidad, fundada por don Joaquín V. González, fue famosa en toda Hispanoamérica. Asistían alumnos que venían de Colombia, de Perú, de Bolivia, de Guatemala, quienes creaban sus propias colonias en caserones; una Universidad que contrató en Europa hombres eminentes de ciencia y humanidades, como fue el caso de los Schiller. Había nacido con una inspiración distinta, estaba formada por grandes institutos científicos, organizados por notables hombres, como el astrónomo Hartmann, con un nivel similar a los centros de Heidelberg o Goettingen. La Universidad llegaba, verticalmente, hasta la enseñanza secundaria y primaria, donde los chicos tenían hasta una imprenta propia.

¡Cómo añoro aquel Colegio donde no se fabricaban profesionales!, donde el ser humano aún era una integridad, cuando los hombres defendían el humanismo más auténtico, y el pensamiento y la poesía eran una misma manifestación del espíritu. En el ex libris de la Universidad, se hallaba escrita una frase de aquel noble científico que fue Emil Bosse: "Toma la verdad y llévala por el mundo"; él era uno de esos hombres que anhelaban ansiosos el espíritu puro, pero lo deponía o lo postergaba para arremangarse y ensuciarse las manos forjando esta nación que hoy es casi un doloroso desecho.

En la época en que cursaba el primer año, supimos que tendríamos como profesor a un "mexicano" que en rigor era puertorriqueño. Y se me cierra la garganta al recordar la mañana en que vi entrar a la clase a ese hombre silencioso, aristócrata en cada uno de sus gestos que con palabra mesurada imponía una secreta autoridad: Pedro Henríquez Ureña. Aquel ser superior, tratado con mezquindad y reticencia por sus colegas, con el típico resentimiento de los mediocres, al punto que jamás llegó a ser profesor titular de ninguna de las facultades de letras.

A él debo mi primer acercamiento a los grandes autores, y su sabia admonición que aún recuerdo: "Donde termina la gramática empieza el gran arte". Porque no era partidario de una concepción purista del lenguaje, por el contrario, estaba cerca de Vossler y Humboldt, que consideraban el idioma como una fuerza viva en permanente transformación. En años posteriores, junto con él y Raimundo Lida, tuvimos largas conversaciones sobre estos temas en el Instituto de Filología, que por ese entonces dirigía Amado Alonso.

Cuando alguna vez he vuelto a viajar en tren, soñé con encontrar a ese profesor de mi secundaria, sentado en algún vagón, con el portafolio lleno de deberes corregidos, como esa vez —¡hace tanto!— cuando juntos en un tren, yo le pregunté, apenado de ver cómo pasaba los años en tareas menores,

"¿Por qué, Don Pedro, pierde tiempo en esas cosas?"
Y él, con su amable sonrisa, me respondió: "Porque
entre ellos puede haber un futuro escritor".

¡Cuánto le debo a Henríquez Ureña! Aquel hombre encorvado y pensativo, con su cara siempre me-
lancólica. Perteneció a una raza de intelectuales hoy
en extinción, un romántico a quien Alfonso Reyes
llamó "testigo insobornable", un hombre capaz de
atravesar la ciudad en la noche para socorrer a un
amigo. Y por esa noble concepción de la vida, por
la comunión y el valor con que enfrentaba la desdicha, paradójicamente, junto a aquel intelectual de
mi secundaria me viene a la memoria el rostro de
mi hermano Humberto, aventurero que jamás realizó estudios superiores, pero que fue admirado y
respetado por todos los que lo conocieron y que
iban a consultarlo cuando se trataba de tomar una
decisión difícil.

Por eso, cuando la enfermedad de Humberto se
agravó, me entristeció enormemente que se lo enga-
ñara diciéndole que era una simple infección, si en
verdad todos sabíamos que se trataba de un terrible
cáncer de estómago. Ese hombre, tan admirado por
su rectitud y entereza, merecía saber y afrontar la
verdad como solía hacerlo. Y entonces tomé la dura decisión de hablar con él.

Jamás olvidaré el silencio; aquellos ojos bien

abiertos parecieron divisar el fin, sin abatimiento, con esa serenidad que siempre lo había fortalecido. Encendió un cigarrillo. No lloramos. No *debíamos* hacerlo. Tampoco pudimos abrazarnos; aún nos pesaba sobre los hombros la mirada imperativa de nuestro padre.

Todos lloraron la pérdida de Humberto, alguien que había sido, como dijo durante el entierro uno de sus grandes amigos, "Nada menos que todo un hombre".

Sí, querido hermano, fuiste esa clase de hombres de la talla de Saint-Exupéry, quien luchó en su avión contra la tempestad, junto con su telegrafista, unidos en el silencio, por el peligro común pero también, por la esperanza. Esos hombres que levantaron su altar en medio de la mugre, con su camaradería ante el fracaso y la muerte.

Los conflictivos años de mi secundaria, además del tiempo de dolorosas angustias, fueron también de importantes descubrimientos.

El primer día de clase aconteció una portentosa revelación. En un banco no demasiado visible, asustado y solitario chico de un pueblo pampeano, vi a don Edelmiro Calvo, aindiado caballero de provincia, alto y de porte distinguido, demostrar con pulcritud el primer teorema. Quedé deslumbrado por ese mundo perfecto y límpido. No sabía aún que había descubierto el universo platónico, ajeno a los horrores de la condición humana; pero sí intuí que esos teoremas eran como majestuosas catedrales, bellas estatuas en medio de las derruidas torres de mi adolescencia.

Para apaciguar el caos de mi alma volqué mis

emociones y ansiedades en una serie de cuadernos, diarios, que quemé cuando fui más grande. Por la angustia en que vivía, busqué refugio en las matemáticas, en el arte y en la literatura, en grandes ficciones que me pusieron al resguardo en mundos remotos y pasados. De la biblioteca del colegio, tan vasta, y para mí inexplorada, aunque estaba sabiamente organizada, leí siempre a tumbos, empujado por mis simpatías, ansiedades e intuiciones.

Recuerdo las bibliotecas de barrio fundadas por hombres pobres e idealistas que, con grandes esfuerzos, luego de todo un día de trabajo, aún tenían ánimo para atender cariñosamente a los chicos, ansiosos de fantasías y aventuras. Desde mi modesto cuartito de la calle 61, me embargaba hacia los mundos de Salgari y de Julio Verne; así como más tarde me recreé en las grandes creaciones del romanticismo alemán: *Los bandidos* de Schiller, Chateaubriand, el Goetz Von Berlichingen, Goethe y su inevitable *Werther*, y Rousseau. Con el tiempo descubrí a los nórdicos: Ibsen, Strinberg, y a los trágicos rusos que tanto me influyeron: Dostoievski, Tolstoi, Chejov, Gogol; hasta la aventura épica del *Mío Cid* y el entrañable andariego de La Mancha. Obras a las que una y otra vez he vuelto, como quien regresa a una tierra añorada en el exilio donde acontecieron hechos fundamentales de la existencia.

Crimen y castigo, que a los quince años me había parecido una novela policial, luego la creí una extraordinaria novela psicológica, hasta finalmente desentrañar el fondo de la mayor novela que se haya escrito sobre el eterno problema de la culpa y la redención. Aún me veo debajo de las cobijas, devorando con avidez aquella obra en edición rústica, de doble o triple traducción. Aún me oigo reír por el desenfado y la encarnecida ironía con que Wilde desnudaba la hipocresía victoriana. O el temblor que sentía entre las páginas de Poe y sus maravillosos cuentos; o las paradojas de Chesterton y el misterioso Padre Brown.

Con los años leí apasionadamente a los grandes escritores de todos los tiempos. He dedicado muchas horas a la lectura y siempre ha sido para mí una búsqueda febril.

Nunca he sido un lector de obras completas y no me he guiado por ninguna clase de sistematización. Por el contrario, en medio de cada una de mis crisis he cambiado de rumbo, pero siempre me comporté frente a las obras supremas como si me adentrara en un texto sagrado; como si en cada oportunidad se me revelaran los hitos de un viaje iniciático. Las cicatrices que han dejado en mi alma atestiguan que de algo de eso se ha tratado. Las lecturas me han acompañado hasta el día de hoy, transformando mi vida gracias a esas verdades que sólo el gran arte puede atesorar.

En la irremediable soledad de este amanecer escucho a Brahms, y siempre, por sus melancólicas trompas vuelvo a vislumbrar, tenue pero seguramente, los umbrales del Absoluto.

Pienso en los tiempos en que Matilde aún podía caminar, apoyada en su bastón, cuando Gladys la traía al estudio y la sentaba a mi lado, sostenida entre almohadones. Yo ponía algo de Schubert, de Corelli, o de algún otro músico que tanto bien le hacía en momentos de tristeza. Escuchábamos la música mientras ella se iba adormeciendo, poco a poco, hasta quedar dormida, con la cabeza inclinada hacia un costado. Yo la contemplaba con los ojos humedecidos. Al cabo de un tiempo se despertaba y preguntaba: "¿Por qué no nos vamos a casa?", con voz imperceptible. "Sí —le decía entonces— en seguida nos iremos." Y con la ayuda de Gladys regresaba a su habitación.

Recuerdo muy bien un día lejano de 1968, cuando viajamos con Matilde a la ciudad de Stuttgart, donde me entregarían un premio. Al llegar, peregrinamos —es la palabra adecuada, ya que era un momento de religioso respeto— a Tübingen, y entramos en el Seminario Evangélico, donde contemplamos emocionados el banco en el que se habían sentado el joven estudiante Schelling y su compañero Hegel. Permanecimos en silencio. Luego nos llegamos hasta la casita del carpintero Zimmer, donde durante treinta y seis años vivió loco Hölderlin, cariñosamente protegido por aquel humilde ser humano; uno de esos hechos absolutos que redimen a la humanidad. Desde la torrezuela miramos correr el río Neckar, como tantas veces lo habría contemplado aquel genio delirante.

Creo que más tarde recorrimos un tramo del Rhin que nos evocó un pasado de baladas, bardos, héroes, bandidos y leyendas: Rolando, que llega demasiado tarde a la isla de Nonnenwert, únicamente para saber que su amada, sin consuelo, había tomado los hábitos, y Lohengrin, y el castillo de Cleves, imponentes y sombríos. En el lloviznoso atardecer de otoño, contemplamos los restos de los castillos feudales, las fortalezas en ruinas que presenciaron feroces combates, que guardaron horribles o bellos secretos de amores incestuosos, de soledades, de traiciones. Ahí estaba Die Feindlichen Bruder, los restos declinantes de las torres de los dos hermanos enemigos, y La Muralla de las Querellas. En lo alto de la montaña, hacia el naciente, las ruinas sombrías entre ráfagas de helada llovizna. Y también, La Torre de las Ratas, donde el obispo Hatto II, después de haber mandado quemar a los campesinos hambrientos, fue encerrado vivo en su torre, para ser devorado por esos horrendos bichos. Hasta que divisamos la aciaga garganta de Loreley, y miramos hacia arriba, hacia lo alto del promontorio que cae a pique sobre las aguas del río, como si aún quisiéramos entrever la silueta de la hechicera que llevaba a la muerte con su canto.

Entonces, resucitando desde nuestra juventud, acudieron a mi memoria fragmentos de uno de aquellos *lieder* que mi alocada profesora de alemán trataba de grabarme con la música de Schumann, de Brahms, de Schubert. No los sé en el poco alemán que aprendí cuando tendría unos dieciocho años, pero sí recuerdo unos pocos versos que decían, más o menos

> *Warum diese dunkien ahungen,*
> *mein herz?* *

---

* *¿Por qué estos negros presagios,*
oh, corazón?

Ruinas majestuosas aparecían ante los turistas, con sus cámaras y salchichas; como un heraldo que, después de penosas vicisitudes, con su vestimenta sucia y desgarrada tratara de transmitirnos un bello y patético mensaje, en medio de empujones, gritos y vulgaridades. Y lográndolo, a pesar de todo, merced al misterioso poder de la poesía.

Hacia los dieciséis años empecé a vincularme con grupos a narquistas y comunistas, porque nunca soporté la injusticia social, y porque algunos estudiantes eran hijos de obreros, de inmigrantes socialistas, con quienes nos debatíamos durante la noche en interminables discusiones, a veces violentas y en ocasiones fraternales, que solían durar hasta altas horas de la madrugada.

Una de esas reuniones se hizo en la casa de Hilda Schiller, hija del geólogo alemán Walter Schiller. Ella había formado un grupo de chicas que llamó Atalanta, a las que aleccionaba desde el deporte hasta la historia y la literatura. Allí, una jovencita me escuchó con sus grandes ojos fijos, como si yo —pobre de mí— fuese una especie de divinidad. Aquella muchacha era Matilde.

De ese tiempo, recuerdo las manifestaciones del Primero de Mayo, una conjunción de protesta y a la vez de profunda tristeza por los mártires de Chicago. Eterno funeral por modestos héroes, obreros que lucharon por ocho horas de trabajo y que luego fueron condenados a muerte: Albert Parsons, Adolf Fischer, George Engel, August Spies y Louis Lingg, el de veintitrés años que se mató haciendo estallar un tubito de fulminato de mercurio en la boca. Los cuatro restantes fueron ahorcados. Posteriormente, la investigación probó que eran inocentes de la bomba arrojada contra la policía. Estos obreros declararon estar orgullosos de su lucha por la justicia social y denunciaron a los jueces y al sistema del cual ellos eran típicos representantes. Hasta el último momento no renegaron de sus convicciones. Muchos años después, el gobernador reconoció la inocencia de estos hombres, y se levantó un monumento, la Tumba de los Mártires.

También se organizaban entonces marchas por el general Sandino y por los nobles y valientes Sacco y Vanzetti. Las manifestaciones congregaban a unos cien mil obreros y estudiantes, unos bajo la bandera roja de los socialistas, y los anarquistas bajo la bandera rojinegra. En todo el mundo se hicieron protestas en solidaridad por aquellos dos mártires del movimiento, condenados a muerte por un crimen que no cometieron. Al igual que con los obreros de Chicago, los tribunales norteamericanos debieron reconocer su inocencia. Hasta el momento mismo en que fueron salvajemente atados a la silla, declararon su inocencia. Murieron con coraje y dignidad. En una gran película que luego de un tiempo hicieron los norteamericanos con la intención de mostrar la verdad, aparece esta conmovedora carta que Vanzetti le escribió a su hijo:

Querido hijo mío, he soñado con ustedes día y noche. No sabía si aún seguía vivo o estaba muerto. Hubiera querido abrazarlos a ti y a tu madre. Perdóname, hijo mío, por esta muerte injusta que tan pronto te deja sin padre. Hoy podrán asesinarnos, pero no podrán destruir nuestras ideas. Ellas quedarán para generaciones futuras, para los jóvenes como tú. Recuerda, hijo mío, la felicidad que sientes cuando juegas, no la acapares toda para ti. Trata de comprender con humildad al prójimo, ayuda a los débiles, consuela a quienes lloran. Ayuda a los perseguidos, a los oprimidos. Ellos serán tus mejores amigos. Adiós esposa mía. Hijo mío. Camaradas.

BARTOLOMÉ VANZETTI

Las discusiones y peleas entre anarquistas y marxistas eran frecuentes, pero así y todo, tuve compañeros de ambos lados con quienes hasta hoy —¡los que sobrevivimos!— tenemos largas conversaciones recordando aquellos años heroicos.

Con cuánta emoción me viene a la memoria aquel tiempo en que inventaba —o descubría en el fondo de mi alma— a ese analfabeto Carlucho, uno de esos anarquistas infinitamente bondadosos que iban de pueblo en pueblo caminando, hasta llegar a alguna estancia donde se acostumbraba tener un catre para esos seres que predicaban en la noche, alrededor del fogón, lo hermoso que era el anarquismo. Y Carlucho, ese hombretón, que por causa de las torturas había perdido su fuerza, tuvo finalmente un kiosco donde le explicaba con torpes palabras a un chiquilín llamado Nacho, proveniente de una familia aristocrática, por qué era hermoso el anarquismo. Le contaba cómo los hombres encerraban a grandes e inocentes hipopótamos para servir de diversión a los chicos, lejos de sus praderas africanas, de sus bellísimos amaneceres y de su remota libertad.

La Revolución Rusa tenía aún el resplandor romántico de aquel Octubre, y los compañeros comunistas terminaron por convencerme, decían que los anarquistas eran utópicos y que jamás lograrían tomar el poder como lo habían hecho ellos en el im-

perio zarista. Como aún no habían empezado el stalinismo y sus crímenes, sentí, con romántico fana-
tismo, que la revolución del proletariado acabaría
trayéndoles a los hombres el orbe puro que había
vislumbrado en las matemáticas.

Me alejé de los claustros universitarios y me afi-
lié a la Juventud Comunista; y junto a ellos, recorrí
los grandes frigoríficos Armour y Swift, ubicados en
Berisso, un pueblo suburbano de La Plata, donde los
obreros vivían en la miseria más aterradora, amon-
tonados en casuchas de zinc, entre verdes y malo-
lientes pantanos, arriesgándolo todo en su lucha por
un aumento de veinte centavos la hora. Aún hoy recuerdo esa confraternidad entre obreros y estudiantes, y con profunda emoción la reivindico.

En 1930 se produjo el primer golpe militar, terrible y sanguinario, y que fue la consecuencia del peligro que significaban para los militares y los capi-
talistas, los movimientos sociales. La dictadura de
Uriburu sería la precursora de los siguientes golpes
de Estado que sufrió nuestro país.

Aquel primer golpe fue decisivo en mi vida pues
tuve que ingresar en la clandestinidad, primero por
mi condición de militante —siempre desprecié a los
revolucionarios de salón— y luego, porque llegué a
ser secretario de la Juventud Comunista, y era muy
buscado por los represores. A causa de las persecu-

ciones debí escaparme de La Plata, interrumpí los estudios y abandoné a mi familia para instalarme en Avellaneda, el centro obrero más importante. Por la suerte que siempre me ha acompañado, no caí en manos de la siniestra Sección Especial contra el Comunismo, famosa por sus torturas, y que andaba detrás de mí. Debí cambiar de pensión y de nombre cada cierto tiempo; y en una oportunidad me salvé saltando por una ventana. Entonces llevaba el nombre de Ferri, quizá —ahora lo pienso— derivado inconscientemente del apellido Ferrari, de mi madre. La militancia era muy peligrosa y no se limitaba al trabajo, existía también una formación teórica obligatoria, en la que se estudiaba no sólo a Marx sino también a otros escritores.

A los obreros se les hablaba de libertad pero eran encarcelados por participar en las huelgas; se les hablaba de justicia pero eran reprimidos y bárbaramente torturados; el hábeas corpus y otros recursos constitucionales se burlaban cínicamente en la práctica de todos los días. Hasta que las amenazas y peligros de muerte que padecíamos cayeron sobre dos grandes dirigentes anarquistas: Severino Di Giovanni y Scarfó. A Di Giovanni lo conocí en el Centro Cultural Ateneo, y, a pesar de su aspecto de maestro de escuela, con su pistola y su banda, llegó a ser una figura de leyenda. Ellos cayeron presos y, frente al pelotón de fusilamiento, murieron gritando: "¡Viva la anarquía!"; grito que, después de sesenta y tantos años, aún me sigue conmoviendo.

Ya nada queda de la pensión de la calle Potosí donde una tarde, traída por un buen amigo, llegó Matilde de diecinueve años, huyendo de un hogar en que se la adoraba, para venir a juntarse en una piezucha de Buenos Aires, con esta especie de delincuente que era yo. Para luchar en la clandestinidad contra la dictadura del general Uriburu, por un mundo sin miseria y sin desamparo. Una utopía, claro, pero sin utopías ningún joven puede vivir en una realidad horrible. Allí, muchas veces soportamos el hambre, cuando compartíamos un poco de pan y mate cocido, salvo en los días de suerte, en que la generosa Doña Esperanza, encargada de la pensión, nos golpeaba la puerta para ofrecernos un plato de comida.

En esos tiempos de pobreza y persecución, se desencadenó una grave crisis, y finalmente, mi alejamiento de aquel movimiento por el que tanto había arriesgado.

Los miembros del Partido que, por supuesto, vigilaban cualquier "desviación", advirtieron en mí ciertos indicios sospechosos. En conversaciones con camaradas íntimos yo sostuve que la dialéctica era aplicable a los hechos del espíritu, pero no a los de la naturaleza, de modo que el "materialismo dialéctico" era toda una contradicción. Alguien que no haya conocido a fondo la mentalidad del comunismo militante podría pensar que eso no era grave, cuando en rigor era gravísimo para los dirigentes, que consideraban un delito separar la teoría de la práctica. Sería largo de explicar en qué fundamentos me basaba, lo único que puedo decir es que esto sucedió hacia 1935, y que muchos años más tarde, en un encuentro teórico realizado en la Mutualité de París, se debatió ese problema entre grandes filósofos como Sartre y otros, en el que se sostuvo precisamente lo mismo.

Sea como fuere, aquella hipótesis era arriesgadísima porque el marxismo-leninismo estaba codificado de una manera férrea e inapelable. El Partido —palabra que siempre se escribía con mayúscula— resolvió mandarme por dos años a las Escuelas Leninistas de Moscú, donde uno se curaba o terminaba en un gulag o en un hospital psiquiátrico. Sin duda habría acabado en uno de esos campos de concentración, dada la convicción profunda que tenía sobre ese disparate filosófico. Por el espíritu de sacrificio que reinaba en los militantes, Matilde aceptó tristemente mi viaje a la Unión Soviética por dos años —y quizá para siempre— quedando ella oculta en casa de mi madre.

Antes de ir a Moscú debía pasar por el Congreso contra el Fascismo y la Guerra, que presidía en Bruselas Henri Barbusse, organizado por el Partido y bajo su riguroso control. El viaje partía de Montevideo, yo atravesé de noche el Delta del Río de la Plata, en una lancha de contrabandistas, para luego seguir en barco, con documentos falsos, hasta Amberes; y finalmente, en tren hasta Bruselas. Allí tuve la oportunidad de escuchar a gente de la Schutzbund, de Austria, y a militantes que venían de Alemania donde el hitlerismo estaba en ascenso. Me pusieron en un cuarto de los llamados *Auberges de la Jeunesse* junto a un compañero que conocí con el nombre supuesto de Pierre. Era un dirigente del Comité Central de la Juventud Francesa, de ciega obediencia a la teoría, lo que me hizo poner en guardia, porque en el Partido no se cometía esa clase de equivocaciones; aquel muchacho militante luego cayó en manos de la Gestapo, y fue muerto tras salvajes torturas.

En uno de esos diálogos que teníamos antes de dormir, surgió una discusión, y cometí el peligroso error de manifestar mis dudas sobre aquel problema filosófico. A la mañana siguiente le dije a mi compañero que me dolía el estómago, y que iría en cuanto me aliviara el dolor. Después de una hora o más, cuando consideré que él no volvería, arreglé mi valijita y me escapé a París en tren. Ya habían comenzado los "procesos" del siniestro imperio stalinista y apenas tuve esa conversación con Pierre, comprendí que si iba a Moscú no volvería jamás. Todos los diálogos, las experiencias que conocí a través de militantes de otros países, acabaron por agrietar ya en forma irreversible la frágil construcción que en mi mente se vino abajo.

Como había ido a Bruselas ya con graves dudas sobre la dictadura de Stalin, en Buenos Aires, un amigo ex simpatizante del Partido, me había dado la dirección de un trotskista argentino director de un semanario francés, que años más tarde moriría en un tanque en tiempos de la Guerra Civil Española. Él me puso en contacto con un portero de la École Normale Supérieure, ex comunista, que me ofreció dormir en su cuartucho, en una de esas grandes camas de París. Como no había calefacción y el frío era intenso en aquel 1935, además de las mantas, nos cubríamos con una cantidad de

L'Humanité. Durante el día deambulaba a la deri-
va por las calles de París, sin llegar a ver hacia qué
tierras me arrastraría el naufragio. Hasta que una
tarde, entré en la librería Gibert, del boulevard
Saint-Michel y robé un libro de análisis matemático de Emil Borel y escapé con él escondido en mi
sobretodo. Recuerdo aquel atardecer gélido de invierno, leyendo los primeros fragmentos, con el
temblor de un creyente que vuelve a entrar a un
templo luego de un turbio periplo de violencias y
pecados. Aquel sagrado temblor era una mezcla de
deslumbramiento, de recogida admisión y de una
paz que hacía tiempo anhelaba mi espíritu: el orbe matemático me llamaba a sus puertas por segunda vez.

De regreso en el país, espiritualmente destrozado
me encerré en el Instituto de Físico-Matemática, y
en pocos años terminé mi doctorado. Allí me prepa-
raba casi a diario para resistir los insultos y los agra-
vios por mi "traición" al comunismo, cuando en rigor era todo lo contrario. El gran traidor fue ese
hombre monstruoso, ex seminarista, que liquidó a
todos los que habían hecho verdaderamente la revolución, hasta alcanzar en el extranjero al propio
Trotsky, uno de los más brillantes y audaces revolucionarios de la primera hora, asesinado en México
por los hachazos stalinistas.

En medio de la crisis total de la civilización que se levantó en Occidente por la primacía de la técnica y los bienes materiales, miles de muchachos volvimos los ojos hacia la gran revolución que en Rusia pareció anunciar la libertad del hombre. No lo hicimos luego de haber estudiado minuciosamente *El capital*, ni por habernos convencido de la validez del materialismo dialéctico, o por haber comprendido lo que era la plusvalía sino, simple pero poderosamente, porque en aquella revolución encontrábamos al fin un vasto y romántico movimiento de liberación. La palabra justicia prometía llegar a tener un lugar que en la historia nunca se le había dado. La lucha por los desheredados, y la portentosa frase: "Un fantasma recorre el mundo", nos colocaron bajo el justo reclamo de su bandera.

En la época del famoso "Boom", más allá de sus valores literarios, muchos escritores me acusaron de traidor al comunismo, pretendiendo ignorar que yo había vivido aquella entrega, pero también, la desilusión de ver cómo el stalinismo había corrompido los principios que el movimiento pretendía enaltecer. Y algunos de estos comunistas de salón, a los que los franceses llaman *la gauche caviar*, alejándose del peligro, se manifestaron detrás de sus escritorios en cómodas oficinas de Europa, en innoble, cobarde retaguardia. Y otros, habiendo estado de paseo por el comunismo, se han convertido finalmente en empresarios de la literatura.

Sin embargo, se mantuvieron callados ante las atrocidades cometidas por el régimen soviético, torturas y asesinatos que, como suele suceder, se perpetraron en nombre de grandes palabras en favor de la humanidad. Camus tenía razón al decir que "siempre hay una filosofía para la falta de valor". Ellos guardaron silencio cuando pudieron y debieron decir cosas sin temor a disentir, lo que es legítimo en reuniones pero indefendible en hechos que hacen al honor y a los valores por los que muchos, de manera horrenda y despiadada, perdieron su vida. No hay dictaduras malas y dictaduras buenas, todas son igualmente abominables, como tampoco hay torturas atroces y torturas beneficiosas. Y la lucha contra el capitalismo no debería haberles impedido el repudio de los actos que atentaban contra la dignidad de la criatura humana, cualquiera haya sido el nombre de la ideología que pretendía justificarlos.

¡Qué diferente habría sido la situación si el "socialismo utópico" no hubiera sido destruido por el "socialismo científico" de Marx!

Equivocadamente se cree que los anarquistas son espíritus destructivos, hombres con piloto que en su portafolio trasladan una bomba. Desde luego, al

igual que en toda empresa que lleva la impronta del
ser humano, en aquel movimiento se infiltraban delincuentes y pistoleros —alguno de los cuales conocí en los años treinta—, pero eso no debe hacernos
olvidar a esos seres nobles, que ansiaban un mundo
mejor, donde el hombre no se convirtiera en ese lo-
bo despiadado que vaticinó Hobbes.

Otra falacia frecuente es considerar que estos espíritus rebeldes eran resentidos sociales, ya que han
sido anarquistas desde el príncipe Bakunin al conde Tolstoi, pasando por el poeta Shelley, el conde de
Saint-Simon, Proudhon, en cierto sentido Nietzsche, el poeta Whitman, Thoreau, Oscar Wilde, Dic-
kens, y en nuestro tiempo sir Herbert Read, el arquitecto Lloyd Wrigth, el poeta T. S. Eliott, Lewis
Munford, Denis de Rougemont, Albert Camus, Ibsen, Schweitzer, en buena medida Bernard Shaw, el
conde Bertrand Russel, y años atrás, el Campanella
de *La cittá del sole* y el Thomas Moro de *Utopía*. Al
igual que todos aquellos vinculados a grandes pensadores religiosos, como Emmanuel Monuier —cuyo "personalismo" tiene mucho que ver con la concepción anarquista—, y judíos como Martin Buber.

Quizá, por mi formación anarquista, he sido
siempre una especie de francotirador solitario, per-
teneciendo a esa clase de escritores que, como señaló Camus: "Uno no puede ponerse del lado de quie-

nes hacen la historia, sino al servicio de quienes la padecen". El escritor debe ser un testigo insobornable de su tiempo, con coraje para decir la verdad, y levantarse contra todo oficialismo que, enceguecido por sus intereses, pierde de vista la sacralidad de la persona humana. Debe prepararse para asumir lo que la etimología de la palabra testigo le advierte: para el martirologio. Es arduo el camino que le espera: los poderosos lo calificarán de comunista por reclamar justicia para los desvalidos y los hambrientos; los comunistas lo tildarán de reaccionario por exigir libertad y respeto por la persona. En esta tremenda dualidad vivirá desgarrado y lastimado, pero deberá sostenerse con uñas y dientes.

De no ser así, la historia de los tiempos venideros tendrá toda la razón de acusarlo por haber traicionado lo más preciado de la condición humana.

Me despierto sobresaltado. Casi nunca he tenido sueños buenos, excepto en estos últimos años, quizá porque mi inconsciencia se fue limpiando con las ficciones. Y la pintura me ha ayudado a liberarme de las últimas tensiones. Probablemente porque es una actividad más sana, porque permite volcar de modo inmediato nuestras pavorosas visiones, sin la mediación de la palabra. Sin embargo, en las telas aún perdura cierta angustia, un universo tenebroso que sólo una luz tenue ilumina.

He soñado, de vez en cuando, con grandes profundidades de mar, con misteriosos fondos submarinos verdosos, azulados, pero transparentes. Hay noches en que me arrastran grandes corrientes, pero no es nada triste ni angustioso, por el contrario, siento una poderosa euforia.

Mientras aguardo la llegada de Silvina Benguria, retomo una pintura en la que he estado trabajando anoche, hasta tarde, y que tanto bien me hizo, alejándome de las tristezas y de los horrores del mundo cotidiano. Arrastrado por el olor de la trementina, mi espíritu regresa a aquel tiempo en que viví tensionado entre el universo abstracto de la ciencia y la necesidad de volver al mundo turbio y carnal al cual pertenece el hombre concreto.

Cuando terminé mi doctorado en Ciencias Físico-matemáticas, el profesor Houssay, premio Nobel de Medicina, me concedió la beca que anualmente otorgaba la Asociación para el Progreso de las Ciencias, enviándome a trabajar en el Laboratorio Curie.

Así llegué a París por segunda vez, en el 38, pero en esta ocasión acompañado por Matilde y nuestro pequeño Jorge Federico, con quienes vivía en un cuartucho ubicado en la rue du Sommerard.

El período del Laboratorio coincidió con esa mitad de camino de la vida en que, según ciertos oscurantistas, se suele invertir el sentido de la existencia. Durante ese tiempo de antagonismos, por la mañana me sepultaba entre electrómetros y probetas, y anochecía en los bares, con los delirantes surrealistas. En el Dôme y en el Deux Magots, alcoholizados con aquellos heraldos del caos y la desmesura, pasábamos horas elaborando "cadáveres exquisitos".

Uno de los primeros contactos que recuerdo haber hecho con ese mundo que luego me fascinaría, ocurrió en un restaurante griego, sucio pero muy barato, donde acostumbraba a almorzar con Matilde. De pronto vimos entrar a un malayo, alto y flaco, y ella, temió que se sentara con nosotros, lo que el hombre finalmente hizo. Dirigiéndose a mi mujer, dijo en un inconfundible acento cubano: "No tenga miedo, señora, soy una buena persona"; así comenzó la amistad con aquel excepcional pintor: Wifredo Lam. Pronto me vinculé con todo el grupo surrealista de Breton: Oscar Domínguez, Féret, Marcelle Ferri, Matta, Francés, Tristan Tzara.

Una mañana llegó al Laboratorio Cecilia Mossin, con una carta de presentación de Sadosky. Y aunque su intención era trabajar con rayos cósmicos, la disuadí para que se quedara como mi asistente y se la presenté a Irene Juliot Curie, quien la aceptó de inmediato. Entre la bruma de los recuerdos, la veo parada, siempre correcta, con su delantalcito blanco, observando con preocupación ciertos cambios en mi persona. La propia Irene Curie, como una de esas madres asustadas ante un hijo que se descarrila, se alarmaba cuando, aún dormitando, me veía llegar cansado y desaliñado, en horas del mediodía. Pobre, no sabía que el honorable Dr. Jekyll comenzaba a agonizar entre las garras del satánico Mr. Hyde. Una lucha que se debatía en el corazón mismo de Robert Stevenson.

Antiguas fuerzas, en algún oscuro recinto, preparaban la alquimia que me alejaría para siempre del incontaminado reino de la ciencia. Mientras los creyentes, en la solemnidad de los templos musitaban sus oraciones, ratas hambrientas devoraban ansiosamente los pilares, derribando la catedral de teoremas. Había dado comienzo la crisis que me alejaría de la ciencia. Porque mi espíritu, que se ha regido siempre por un movimiento pendular, de alternancia entre la luz y las tinieblas, entre el orden y el caos, de lo apolíneo a lo dionisíaco, en medio de ese carácter desdichado de mi espíritu, se encontraba ahora azorado entre la forma más extrema del racionalismo, que son las matemáticas, y la más dramática y violenta forma de la irracionalidad.

Muchos, con perplejidad, me han preguntado cómo es posible que habiendo hecho el doctorado en Ciencias Físico-matemáticas, me haya ocupado luego de cosas tan dispares como las novelas con ficciones demenciales como el *Informe sobre ciegos*, y, finalmente esos cuadros terribles que me surgen del inconsciente. En la mayor parte de los casos, sobre todo en este período de mi existencia, me es imposible explicar a los que me interrogan qué quise decir, o qué representan. Es lo mismo que uno se pregunta cuando ha despertado de un sueño, sobre todo de una pesadilla; tanta es su ilogicidad, sus contradicciones. Pero de un sueño se puede decir cualquier cosa menos que sea una mentira.

Es lo que todos los hombres hacen con su doble existencia: la diurna y la nocturna. Un pobre oficinista sueña de noche con asesinar a puñaladas al jefe, y durante el día lo saluda respetuosamente. El ser humano es esencialmente contradictorio, y hasta el propio Descartes, piedra angular del racionalismo, creó los principios de su teoría a partir de tres sueños que tuvo. ¡Lindo comienzo para un defensor de la razón!

Algo parecido es el caso del desdichado Isidore Ducasse, uno de los patronos del surrealismo, que en uno de sus primeros *Cantos*, ya convertido, quién sabe por qué irónico impulso, en el Comte de Lautréamont, hace el elogio de las matemáticas a las que se acercó con indiferencia o quizá con desprecio:

Oh, matemática severa, yo no te olvidé, desde que tus sabias lecciones, más dulces que la miel, se filtraron en mi corazón, como una onda refrescante; yo aspiraba instintivamente, desde la cuna, a beber de tu fuente, más antigua que el sol, y aún continúo recordando cómo osé pisar el atrio sagrado de tu solemne templo, yo, el más fiel de tus iniciados.

Son muchos los que en medio del tumulto interior buscaron el resplandor de un paraíso secreto. Lo mismo hicieron románticos como Novalis, endemoniados como el ingeniero Dostoievski y tantos otros que estaban destinados finalmente al arte. A mí, como a ellos, la literatura me permitió expresar horribles y contradictorias manifestaciones de mi alma, que en ese oscuro territorio ambiguo pero siempre verdadero, se pelean como enemigos mortales. Visiones que luego expresé en novelas que me representan en sus parcialidades o extremos, a menudo deshonrosas y hasta detestables, pero que también me traicionan, yendo más lejos de lo que mi conciencia me reprocha. Y ahora, desde que mi vista deteriorada me ha impedido leer y escribir, he vuelto al final de mi existencia a aquella otra pasión: la pintura. Lo que probaría, me parece, que el destino siempre nos conduce a lo que teníamos que ser.

En medio de la espantosa inestabilidad de esa época conocí a un personaje extraño, el gran pintor español, en realidad canario, Oscar Domínguez. En los frecuentes encuentros en su taller, me insistía para que abandonase las "pavadas" del Laboratorio y me dedicase por completo a la pintura. Pasábamos largas horas literalmente delirando, entre el olor a la trementina y la botella de cognac o de vino que no cesaba de correr por nuestras manos. La instigación al suicidio, por momentos aterradora, era una presencia constante luego de acabar cada botella. Sugerencia que me reiteró un domingo lluvioso, a la vuelta del Marché aux Puces. Yo que le respondí: "No Oscar, tengo otros proyectos".

Sus locuras, sus permanentes divagues eran un espacio de libertad en medio de la estrechez del mundo cientificista. Su desenfreno era capaz de promover las ocurrencias más disparatadas. En un tiempo, se había dedicado a la investigación, dentro del dominio de la escultura, para obtener superficies "litocrónicas". Como yo venía de la física, inventé esa palabra que significa "petrificación del tiempo", broma que se me ocurrió basándome en la conocida yuxtaposición, hecha por Oscar, de la Venus de Milo con un violín. Le sugerí entonces la posibilidad de forrar la escultura con una fina y elástica tela para luego desplazar el violín en diferentes formas, y lograr así lo que él denominó en su jerga "anquietanz".

El texto completo salió publicado en *Minotaure*, y quedó para mí como testimonio de un tiempo de crisis. Sin embargo, Breton lo elogió con su acostumbrada solemnidad, sin advertir que era una mezcla de disparate y humor negro; lo que prueba, por otro lado, la ingenuidad de ese gran poeta que, en una delirante mezcla de materialismo dialéctico y Lautréamont, pretendía disimular su falta de rigor filosófico.

En otra oportunidad, Domínguez me habló de un amigo que pintaba la cuarta dimensión y, aunque trató de convencerme, le dije que era algo imposible de pintar. Pero cómo explicarle, si Oscar prácticamente no sabía multiplicar, y yo lo adoraba precisamente por esa clase de ignorancias. Hasta que un día lo acompañé al taller de su amigo, un muchachote más bien bajo y menudo, que me mostró sus cuadros. Me gustó mucho lo que hacía pero les dije que no era la cuarta dimensión, ni cosa que se le pareciera, que necesitaban del conocimiento de matemáticas superiores para comprender el fundamento. Durante muchos años perdí de vista al joven pintor amigo de Domínguez, hasta que en 1989, cuando viajé a París con motivo de mi exposición en el Foye del Centre Pompidou, reencontré con profunda alegría a aquel ser generoso y de curioso talento que es Matta. Mantiene el encanto que le había conocido, y está acompañado ahora por la hermosa Germain. Esa misma tarde cenamos juntos, y recordamos con emoción a personas y acontecimientos que nos acompañaron en un tiempo fundamental de nuestras vidas. En esa exposición el gran pensador surrealista Maurice Nadeau tuvo la generosidad de participar en un homenaje que se me hizo.

Cuando me contacté con el surrealismo ya se vivía de la nostalgia de lo que habían producido sus más grandes representantes. Acabada la Primera Guerra, la necesidad de destruir los mitos de la sociedad burguesa fue el suelo fértil para el demoledor espíritu de los surrealistas. Pero luego de la bomba atómica, los campos de concentración y sus seis millones de muertos, esos hombres no supieron cómo reconstruir un mundo en ruinas. Nunca el espíritu destructivo en sí mismo es beneficioso, Hitler, espantosamente lo demostró. Y cuando luego de la guerra, en 1947, volví a París, al provenir de una ciudad como Buenos Aires que no había sufrido ningún efecto directo de la catástrofe, tuve una dolorosa impresión. La encontré triste y, cosa curiosa, uno de los detalles que más me deprimió, quizá por su valor simbólico, fue encontrarme un sábado lluvioso y gris en un café desmantelado. Recordé entonces aquellas montañas de medialunas y *brioches* que se veían en los mostradores de cualquier café de barrio. Pero, sobre todo, la mayor tristeza fue ver a Breton, que no se resignaba a dejar en paz el cadáver de su movimiento.

Sin embargo, el surrealismo tuvo el alto valor de permitirnos indagar más allá de los límites de una

racionalidad hipócrita, y en medio de tanta false-
dad, nos ofreció un novedoso estilo de vida. Muchos
hombres, de ese modo, hemos podido descubrir
nuestro ser auténtico.

Por eso mi aspereza, y hasta mi indignación, ante los mistificadores que lo ensuciaron, como Dalí,
pero también mi reconocimiento a todos los hombres trágicos que han salvaguardado lo que de verdadero hubo en ese importante movimiento. Como
aquel alocado, violento Domínguez, uno de los pocos personajes surrealistas que quise. Surrealista en
su modo de concebir y resistir la existencia. Pasó la
última etapa de su vida entre las drogas, el alcohol
y las mujeres. Hasta que se suicidó una noche cor-
tándose las venas, y con su sangre manchó la tela
colocada sobre su caballete.

En el Laboratorio Curie, en una de las más altas metas a las que podía aspirar un físico, me encontré vacío de sentido. Golpeado por el descreimiento, seguí avanzando por una fuerte inercia que mi alma rechazaba.

La beca me fue trasladada al Massachusetts Institute of Technology, el MIT, en la ciudad de Boston, donde publiqué un trabajo sobre rayos cósmicos. Pero yo estaba fatalmente desgarrado entre lo que había significado para mí esa vocación, a la que había sacrificado años, y la incierta pero invencible presencia de un nuevo llamado. Momento pendular en que ya no encontramos la identidad en lo que fuimos.

En tinieblas volví a Buenos Aires. La decisión estaba tomada en mi espíritu, pero debía arraigarse en la lucha con quienes me tentaban con puestos importantes y me agobiaban con su certeza de la trascendente misión que yo debía a la física. Reivindico con emoción el profundo apoyo que Matilde me dio en ese momento. Ella jamás consideró que yo debiera hacer otra cosa que consagrarme a lo que mi intuición me señalaba, y nunca me recriminó las comodidades que nuestra familia habría de perder.

Hice ese tránsito, como un puente que se extendiera entre dos colosales montañas, por momentos mareado y sin saber lo que estaba haciendo, y en otros, en cambio, con el gozo irrefrenable que acompaña al nacimiento de toda gran pasión.

Como último deber hacia las personas que me habían dado la beca, enseñé Teoría Cuántica y Relatividad en la Universidad de La Plata, donde tuve como alumnos a Balzeiro, cuyo nombre preside hoy un centro atómico en la ciudad de Bariloche, y a Mario Bunge.

Cuando a principios de la década del cuarenta tomé la decisión de abandonar la ciencia, recibí durísimas críticas de los científicos más destacados del país. El doctor Houssay me retiró el saludo para siempre. El doctor Gaviola, entonces director del Observatorio de Córdoba, que tanto me había querido, dijo: "Sabato abandona la ciencia por el charlatanismo". Y Guido Beck, emigrado austríaco, discípulo de Einstein, en una carta se lamenta diciendo: "En su caso, perdemos en usted un físico muy capaz en el cual tuvimos muchas esperanzas".

El mundo de los teoremas y un trabajo sobre rayos cósmicos que acababa de publicar en la *Physical Review*, apenas se divisaban en la inmensa polvareda. Acompañado por Matilde y Jorge, de cuatro años, me fui a vivir a las sierras de Córdoba, en un rancho sin agua corriente ni luz eléctrica, en la localidad de Pantanillo. Bajo la majestuosidad de los cielos estrellados, sentí cierta paz. Algo parecido a lo que dice Henry David Thoreau: "Fui a los bosques porque deseaba vivir en la meditación, afrontar únicamente los hechos esenciales de la vida, y ver si podía aprender lo que ella tenía para enseñarme; no sucediera que, estando próximo a morir, descubriese que no había vivido".

No teníamos ni vidrios en las ventanas, y en ese invierno soportamos catorce grados bajo cero, hasta el punto que el río Chorrillos, que cruzaba el terreno, se heló. Nosotros nos calentábamos con el mismo sol de noche con que nos alumbrábamos, y a las siete de la mañana volvíamos a la cama, de puro frío que hacía. En la tranquilidad de una tarde serrana, conocí a un muchacho médico que pasó a visitar a unos parientes en camino hacia Latinoamérica, donde curaría enfermos y hallaría su destino. A aquel joven, hoy símbolo de las mejores banderas, lo recuerda la historia con el nombre de Che Guevara.

Portentosas torres se derrumbaban frente a mí. Entre los escombros, como un yuyito entre rocas resecas, mi yo más profundo intentaba resurgir entre dudas, inseguridades y remordimientos. De mi tumulto interior nació mi primer libro, *Uno y el Universo*, documento de un largo cuestionamiento sobre aquella angustiosa decisión, y también, de la nostálgica despedida del universo purísimo.

Enfurecidos por lo que llamaban mi empecinamiento, en reiteradas ocasiones, el doctor Gaviola junto a Guido Beck, vinieron a nuestro rancho para tratar de convencer a mi mujer de la locura que estaba cometiendo, en el momento en que el país más necesitaba de científicos. Y aunque traté de explicarles mi crisis espiritual, y de convencerlos de que mi verdadera vocación era el arte, apenas lo comprendieron, ya que para esos hombres, la ciencia es la creación suprema del hombre. Guido Beck atribuía mi decisión a la ligereza sudamericana, y Gaviola dijo que me perdonaría si algún día lograba escribir una obra como *La montaña mágica*. Pobre Gaviola, creo que nunca supo que la lectura de *El túnel* lo impresionó al propio Thomas Mann, según anotó en un volumen de sus diarios.

Finalmente acepté concluir un trabajo sobre termodinámica, que me había preocupado en épocas de mi doctorado. La termodinámica es una rama fundamental de la física de la cual depende la evolución del universo; por lo que se comprenderá que haya subyugado a tantos espíritus inquietos por el acontecer del Gran Todo. Algunos recordarán el poema "Eureka", escrito a propósito de este asunto por aquel aficionado a la ciencia, Edgar Allan Poe. Yo sostuve que había un error en el ordenamiento en que estaban enunciados sus tres grandes principios. Sería imposible explicar mis fundamentos, bastantes dolores de cabeza me produjeron en la época en que estudiaba a fondo la energética. Cuando expuse mis primeras ideas a los doctores Loyarte y Teófilo Isnardi, ellos pretendieron disuadirme, ya que la termodinámica era un armonioso edificio imposible de innovar, desde el gran Leonardo, hasta enormes cabezas como Henri Poincaré y Caratheodory. El segundo rechazo lo recibiría en el Laboratorio Curie, porque un salvaje sudamericano no podía cuestionar el fundamento mismo de la termodinámica.

Entonces, aquellos doctores amigos me convencieron para que asistiera un día a la semana a concluir mi hipótesis en el gran observatorio de Bosque Alegre, en lo más alto de las sierras cordobesas. En

el silencio sideral de las noches, junto con los astrónomos, como es frecuente en esos solitarios vigías
de la oscuridad, escuchaba a Bach, Mozart, Brahms.
Y mirando las estrellas, sentí por última vez la atrac-
ción de aquel universo ajeno a los vicios carnales.
Entonces tuve la convicción de lo que expresé en el
prólogo de mi primer ensayo: "Muchos pensarán
que es una traición a la amistad, cuando es fidelidad a mi condición humana".

Cuando volvimos a Buenos Aires luego de esa
temporada en las sierras de Córdoba, nuestra situación económica era delicada. La vida no fue fácil,
debimos vender cuadros de cierto valor, mientras es-
perábamos encontrar un trabajo que nos permitie-
ra sobrevivir. Conseguí algo de dinero dictando clases y haciendo traducciones por las que me pagaban
miserablemente, como ocurrió con el libro de Bertrand Russell, *The ABC of Relativity*. También por entonces ofrecí mis ideas de publicidad a grandes em-
presas que las rechazaron sistemáticamente. Una de
ellas apareció plagiada en la revista *Life*.

En medio de esas tensiones, conocí al biólogo po-
laco Nowinsky, que por mis antecedentes me ofreció un cargo en la UNESCO, confirmado al poco tiempo a través de un telegrama de Julian Huxley. Debí
viajar solo rumbo a París, nuevamente hacia la ciudad en la que había vivido hechos fundamentales,

desconociendo aún que allí me aguardaba una nueva crisis.

El edificio donde estaba ubicada la UNESCO había sido sede de la Gestapo, y aquella atmósfera enrarecida con trámites burocráticos resquebrajó una vez más el universo kafkiano en el cual me movía. Hundido en una profunda depresión, frente a las aguas del Sena, me subyugó la tentación del suicidio.

Una novela profunda surge frente a situaciones límite de la existencia, dolorosas encrucijadas en que intuimos la insoslayable presencia de la muerte. En medio de un temblor existencial, la obra es nuestro intento, jamás del todo logrado, por reconquistar la unidad inefable de la vida. A través de la angustia, en una máquina portátil comencé a escribir de manera afiebrada la historia de un pintor que desesperadamente intenta comunicarse.

Extraviado en un mundo en descomposición, entre restos de ideologías en bancarrota, la escritura ha sido para mí el medio fundamental, el más absoluto y poderoso que me permitió expresar el caos en que me debatía; y así pude liberar no sólo mis ideas, sino, sobre todo, mis obsesiones más recónditas e inexplicables.

La verdadera patria del hombre no es el orbe puro que subyugó a Platón. Su verdadera patria, a la que siempre retorna luego de sus periplos ideales, es esta región intermedia y terrenal del alma, este desgarrado territorio en que vivimos, amamos y sufrimos. Y en un tiempo de crisis total, sólo el arte puede expresar la angustia y la desesperación del hombre, ya que, a diferencia de todas las demás actividades del pensamiento, es la única que capta la totalidad de su espíritu, especialmente, en las grandes ficciones que logran adentrarse en el ámbito sagrado de la poesía. La creación es esa parte del sentido que hemos conquistado en tensión con la inmensidad del caos. "No hay nadie que haya jamás escrito, pintado, esculpido, modelado, construido, inventado, a no ser para salir de su infierno." ¡Absoluta verdad, querido, admirado y sufriente Artaud!

Años atrás un grupo de compañeros de la Universidad me había invitado a escribir para una revista literaria en la que participaban varios escritores platenses. *Teseo* era gráficamente muy linda, pero esa clase de revistas que no superan el tercer o cuarto número, lo que ocurrió. Sin embargo, fue fundamental para mí. Y al igual que cuando nos creemos perdidos y sin rumbo fijo, así también nuestra vida toma movimientos en apariencia indeterminados, pero que en el fondo, una voluntad desconocida para nosotros nos conduce hacia los lugares en que nos encontraremos con hombres o cosas fundamentales para nuestra existencia.

El artículo que yo había escrito para la revista, le interesó a Pedro Henríquez Ureña, a quien yo había dejado de ver. Cuando nos reencontramos, volví a sentir la admiración que siempre despertó en mí aquel extraordinario humanista, que anteponía la lucha por la justicia a la propia búsqueda de la perfección intelectual. Alguien frente a quien yo me sentía confirmado por su visión de la vida. Desde entonces, perdura mi gratitud y el honor de haber merecido su reconocimiento.

En aquella conversación Don Pedro me preguntó si yo no querría escribir un artículo para *Sur*, la gran revista que dirigía Victoria Ocampo. Nervioso, con gran emoción, al poco tiempo le entregué mi trabajo en un café. Aún lo veo sugiriendo la supresión del primer párrafo, preguntándome con suave ironía "*Begin here?*", como para no herirme, para disimular su observación. No olvido su excesiva delicadeza, esas notas al margen con letra casi ilegible con que nos corregía a todos los que tuvimos el lujo de ser sus alumnos.

Unos días después me llamó para decirme que *Sur* lo publicaría y que José Bianco deseaba conocerme. Recuerdo la cordialidad con que Bianco me recibió; él me invitó a publicar regularmente, y luego me encargó el antiguo Calendario que había dejado de salir años atrás.

A Bianco lo valoré siempre por su preocupación democrática porque, a diferencia de lo que muchos creen, Bianco no era un escritor de torre de marfil, sino un fervoroso defensor de la libertad y de los derechos humanos; con él mantuve largas conversaciones sobre el nazismo en la época de la guerra. La calidad de la revista era producto de su lucha con la imprenta y de la revisión de todos los manuscritos, a los que muy a menudo se veía en la necesidad de corregir, porque de lo contrario "es imposible publicarlos", como solía decir, metida su cabeza entre papeles, haciendo su trabajo de inquisidor.

Se ha acusado a *Sur* de ser elitista y reaccionaria, lo que siempre consideré una opinión falsa y demagógica. Semejantes calificativos pretenden ignorar que allí escribieron comunistas como Sartre, anarquistas como Camus y Herbert Read, católicos progresistas como Graham Green, católicos socialistas como Emanuel Mounier; y que en su comité participaba una comunista militante como María Rosa Oliver. En *Sur* se publicaron importantísimos trabajos sobre el nazismo, la justicia social, la Revolución Rusa, el anarquismo, los derechos humanos. Sin duda, se cometieron equivocaciones, pero habría que preguntarse en qué revista del mundo no suceden cosas semejantes.

Se le debe reconocer a Victoria todo lo que hizo por difundir la cultura universal. Mi relación con ella fue como la de esos matrimonios en los que hay amor y violentas peleas, pero en que uno no puede prescindir del otro. Y si Bianco fue un motor indispensable para la continuidad de *Sur*, Victoria fue quien creó aquella revista, que jamás habría alcanzado su notable trascendencia sin la insaciable voracidad que tenía ella por la cultura, las artes y las letras de todo el mundo. Y por sus esfuerzos, vinieron al país hombres notables como Ortega y Gasset, Stravinsky, Tagore y tantos otros. Las páginas de *Sur* fueron educadoras de toda mi generación. A través de ella se conocieron en todos los países de lengua castellana a autores como Virginia Woolf, D. H. Lawrence, Aldous Huxley, Lawrence de Arabia, Henri Michaux, William Faulkner; lo mejor del pensamiento desde Japón a los Estados Unidos apareció allí. El descubrimiento de estas destacadas personalidades lo realizaban no sólo Victoria y Pepe sino también un Comité de Colaboradores.

Los encuentros en casa de Victoria significaron para mí una segunda formación, una nueva universidad de la que resulté finalmente un mal alumno. En ese ámbito eran infaltables Bianco y la clásica sopa para Borges. También iban Patricio y Estela Canto, Rodolfo Wilcock y a veces, Mastronardi. En medio de las discusiones sobre Stevenson, Henry James, Coleridge, Quevedo, Cervantes, eran frecuentes las conversaciones acerca del tiempo, Nietzsche y el eterno retorno, los números transfinitos y la expansión del Universo. Al provenir yo del mundo oscuro de los surrealistas, en medio de aquel límpido ambiente me sentía una especie de bárbaro; hasta que lograba infiltrar a los escritores rusos y, bajo la irónica mirada de Borges, las discusiones se extendían hasta la madrugada.

Entonces surgió mi vínculo con Borges, interminables fueron las conversaciones sobre Platón y Heráclito de Éfeso, siempre con el pretexto de vicisitudes porteñas. Lamentablemente, en 1956 nos separaron ásperas discrepancias políticas —¡cuánta pena que esto sucediera!— pero así como, según Aristóteles, las cosas se diferencian en lo que se parecen, en ocasiones los seres humanos llegan a separarse por lo mismo que aman.

Yo no fui antiperonista por defender los privilegios, sino porque no podía soportar el despotismo y la expulsión de maestras y profesores por no someterse a las directivas del gobierno. En aquel movimiento hubo un justificado anhelo de justicia y de dignidad, frente a una sociedad fría y egoísta que explotaba a los pobres de la manera más denigrante, esclavizándolos en esa especie de campos de concentración que eran los yerbales y los quebrachales. Mientras tanto muchos intelectuales, en lugar de responder al drama de estos hombres, se habían entregado a sus propios y mezquinos intereses.

A todos estos desamparados, como los llamó Evita, que luchó verdadera y heroicamente por ellos, los supo movilizar Perón. Medio siglo después, la desvaída foto de Evita preside, junto a la de la Virgen, los hogares más pobres del país. simboliza la devoción y la gratitud por aquellos años únicos de prosperidad y respeto para los más humildes. Con los errores que todos conocemos hubo allí gente tan honrada como Scalabrini y Jauretche, de quienes fui amigo.

A pesar de haber perdido mis cátedras durante el gobierno peronista, cuando en 1955 fui nombrado director de *Mundo Argentino*, me opuse a toda medida que fuese represiva hacia la oposición. De inmediato noté que a mis superiores les molestaba que yo aceptase que en la revista colaboraran personas de distintos sectores; hasta que finalmente fui forzado a renunciar cuando denuncié la tortura de obreros peronistas en distintos centros del país y en los sótanos del Congreso de la Nación. Luego, en un programa de radio, volví a hablar de aquellos acontecimientos provocando el escándalo y la ruptura con buena parte de los intelectuales.

En esa oportunidad, además de las torturas, hice referencia a grandes escritores cuya militancia les valió la enemistad, el rencor y el silencio. Y hablé del hombre eminente que fue Leopoldo Marechal.

En esas épocas de resentimiento político, se le negó el reconocimiento a uno de los más grandes escritores argentinos; obligándolo a sobrellevar un durísimo exilio en su propia patria, a la que tanto amor lo unía. Sostenido en el puntal que fue su compañera, en un momento de extrema amargura, a ese modesto hombre se lo oyó murmurar: "¿Cuándo mis compatriotas dejarán de orinarme encima?".

La familia de Marechal, que había estado escuchando la transmisión de radio, llamó a casa para agradecer lo que yo había dicho. Desde entonces perduró una amistad que siempre valoré, de la que da testimonio esta carta tan hermosa:

Queridos Matilde y Ernesto: Elbia y yo recibimos los cariñosos votos que nos han formulado ustedes y que, literalmente, son otras tantas "bendiciones". En este fin de año estamos pidiendo al cielo para nosotros y para ustedes dos, nuestros amigos: paz y alegría en la existencia, facilidad y felicidad en la creación literaria y otras buenas obras, que Dios nos libre de los hijos de puta literales o alegóricos que pretenden afligirnos, y que nos preserve de todo camelo e impostura; si hemos de combatir, que Dios nos ubique en la mejor trinchera y en la batalla más justa. Queridos Matilde y

> Ernesto, digan con nosotros "amén", ¡y a vi-
> vir! Reciban los dos el sempiterno abrazo fra-
> ternal de Elbia y Leopoldo.

Marechal fue un hombre atormentado por el destino de su patria, como lo refleja en sus obras, y en
esas tristes reflexiones en que critica a los que la en-
sucian o arrastran por el suelo, los que siempre la
posponen a sus sórdidos bolsillos. Cuando alguien
de un alma tan noble amonesta a la patria, lo hace
porque conoce la posibilidad de su grandeza. Así lo
hicieron, con un corazón desgarrado y sangrante,
desde Hölderlin a Nietzsche, Dostoievski y Tolstoi.
Y el maravilloso Pushkin que, luego de desternillar-
se de risa con las descripciones que su amigo Gogol
le leía, termina exclamando con la voz quebrada por
la amargura: "¡Dios mío, qué triste es Rusia!".

Del mismo modo, en un verso memorable, Leopoldo Marechal dice: "La Patria es un dolor que aún
no sabe su nombre". Todavía me parece oírlo, con
su voz suave, apenas un grave murmullo.

El túnel fue la única novela que quise publicar, y para lograrlo debí sufrir amargas humillaciones. Dada mi formación científica, a nadie le parecía posible que yo pudiera dedicarme seriamente a la literatura. Un renombrado escritor llegó a comentar: "¡Qué va a hacer una novela un físico!". ¿Y cómo defenderme cuando mis mejores antecedentes estaban en el futuro?

El túnel fue rechazado por todas las editoriales del país; hasta por Victoria Ocampo, que se excusó diciéndome: "Estamos medio fundidos, no tenemos un cobre partido por la mitad". Qué auténtica me pareció entonces esa frase de Oscar Wilde: "Hay gente que se preocupa más por el dinero que los pobres: son los ricos". Aún recuerdo la tarde en que se abrió la puerta del Querandí —el mismo café que

luego frecuentaría en mis encuentros con Gombro-
wicz—, y vi aparecer a Matilde llorando, encorvada,
trayendo entre las manos los originales de mi novela, que yo no me había atrevido a retirar, tanta era
mi vergüenza.

Finalmente, el préstamo de un generoso amigo,
Alfredo Weiss, hizo posible la publicación en *Sur*, y
fue inmediatamente agotada. Al año siguiente, recibí la noticia de su edición francesa, gracias a la generosa iniciativa de Camus.

París, 13 de junio de 1949

Le agradezco su carta y su novela.
*Caillois me la hizo leer y me ha gustado mu-
cho la sequedad y la intensidad. He aconseja-
do a Gallimard que la editen, y espero que "El
túnel" encuentre en Francia el éxito que merece. Hubiera deseado poder decirle todo esto de
viva voz, pero la prohibición de una de mis
piezas en Buenos Aires me impide dar allí las
conferencias previstas. Si, no obstante, llega-
ra a ir a Brasil, trataría de acercarme a título
personal a Buenos Aires y me alegraría entonces conocerlo. De aquí a entonces, cuente con
toda mi simpatía fraternal.*

ALBERT CAMUS

Cuánto le debo a aquel escritor genial, con quien compartiría luego inquietudes metafísicas y éticas. En muchas oportunidades se ha hablado de su nihilismo; en todo caso, fue esa clase de nihilista cuya blasfemia es una manera de creer en Dios. Vivía un idealismo desesperado, fue un hombre lleno de amor y de pasión.

Cuando años después comenté la historia en un periódico, Victoria me llamó hecha una furia para recriminarme el oprobioso recuerdo, ya que el libro había sido recibido entusiastamente por uno de los máximos escritores de Francia. Pero, *"c'est la vie"*, como ella hubiera dicho. He hablado acerca de lo importante que ha sido su aporte a nuestra cultura; pero el mutuo y sincero aprecio que nos teníamos, no me dispensaba del inconveniente de no ser francés.

Nunca me he considerado un escritor profesional, los que publican una novela al año. Por el contrario, a menudo, en la tarde quemaba lo que había escrito durante la mañana. Y así, cuentos, ensayos y obras para teatro los he visto consumirse en el fuego, al que también estaba destinado *Sobre héroes y tumbas;* tantas han sido siempre mis dudas. Por mi propensión a las llamas, hubo veces en las que me arrepentí; obras que hoy recuerdo con nostalgia, como *El hombre de los pájaros* y la novela que escribí durante mi período surrealista, *La fuente muda*, título que tomé de un verso de Antonio Machado, y de la que sobreviven pocos capítulos y algunas ideas. Quienes conocen mis reticencias y contradicciones, saben lo difícil que es soportarme en cualquier empresa. Así lo sufrieron todos los que, desde distintas partes del mundo, me han solicitado autorización para trabajar en mis novelas, para realizar películas o adaptaciones de teatro, desde grandes realizadores hasta compañías independientes. Piazzolla quiso hacer una ópera, sobre una adaptación de mi novela *Sobre héroes y tumbas;* proyecto que, a causa de mis cavilaciones, sólo llegó a realizar una hermosa introducción.

Lamentablemente, en estos tiempos en que se ha perdido el valor de la palabra, también el arte se ha prostituido, y la escritura se ha reducido a un acto similar al de imprimir papel moneda. Como he dicho en *El escritor y sus fantasmas:* "Quedan los pocos que cuentan: aquellos que sienten la necesidad oscura pero obsesiva de testimoniar su drama, su desdicha, su soledad. Son los testigos, los mártires de una época". Están destinados a una misión superior, no pertenecen a ninguna capilla literaria o cenáculo y, por eso, no tienen como fin tranquilizar a individuos encerrados en una sacristía, sino el de derribar todas las conveniencias, devolviéndonos el sentido de nuestra trágica condición humana. En esta vocación, muchos han sido empujados a la locura, a las drogas, o a tantas otras formas del suicidio. Recuerdo cuando el doctor Cárcamo me decía que debía empezar urgentemente una terapia psicoanalítica, porque estaba al borde de la locura. Seguramente se preocupaba de verdad, porque era un buen hombre, pero yo le respondí que sólo me salvaría el arte.

Nunca sabremos la angustia con que Beethoven compuso su última y maravillosa sinfonía, o los momentos de soledad en que crearon sus obras los grandes compositores. Por eso, si el fracaso es triste, el fracaso en el arte es siempre trágico.

Emocionadamente he estado en varias ocasiones en la tumba de Van Gogh, aquel desdichado que nunca pudo vender un cuadro, y de quien ahora se disputan sus obras en millones de dólares, para ser exhibidas en un supermercado. Pobre Vincent; habitado por Dios y por el Demonio, humilde y bondadoso, que iba a predicar el Evangelio a los mineros y que a la vez violentamente atacaba a Gaugain; que recogía a pobres prostitutas de la calle, como aquella con un chiquito, para ser su modelo, y terminaba llevándola a vivir con él, probablemente porque la comprendía, ya que los dos sufrían el mismo desamparo. Como señala Artaud, otro poseído a quien siempre admiré, Van Gogh murió suicidado por una sociedad que no podía seguir soportando sus terribles revelaciones. Cómo dudar que Artaud estaba hablando también de sí mismo; en una carta a su médico, luego de terribles electroshocks, declaró sentirse "tratado como un alienado y maltratado a raíz de un gesto, de una actitud, de una manera de hablar y de pensar que fueron en la vida las de un hombre de teatro, del poeta y del escritor que yo era". Finalmente murió como un perro; el jardinero lo encontró una mañana, sentado en su cama con un zapato en la mano. Jamás sabremos hacia dónde se dirigía aquel día de su última soledad.

Por eso, la raza de artistas a la que siempre he admirado es aquella a la que pertenecen estos hombres.

Quienes han unido a su actitud combatiente una grave preocupación espiritual; y en la búsqueda desesperada del sentido, han creado obras cuya desnudez y desgarro es lo que siempre imaginé como única expresión para la verdad.

¿Hacia epifanías de qué enigmáticos Dioses me conducía el destino? ¿Por qué, a los treinta años, cuando la ciencia me aseguraba un futuro tranquilo y respetable, abandoné todo a cambio de un páramo oscuro y solitario? No lo sé. Una y otra vez, como un náufrago en medio de oscuras tempestades, partí con rumbo insospechado sin divisar siquiera la existencia de una isla remota. Al mirar hacia atrás, reitero nuevamente aquel ruego de Baudelaire:

¡Oh, Señor! ¡Dadme la fuerza y el coraje de contemplar sin asco mi cuerpo y mi corazón!

Aunque terrible es comprenderlo, la vida se hace en borrador, y no nos es dado corregir sus páginas. Y cuando leo la carta que me envió una chica de diecinueve años en la que dice que me admira, y que a pesar de vivir a pocas cuadras, nunca se atrevió a acercárseme, siento vergüenza. ¡Qué hermosa carta. Tan noble, y a la vez tan triste! Dice que la ayudo a vivir, que está pintando, y que le gustaría mostrarme algún día lo que hace; cuando pasa por mi casa y ve el jardín abandonado, siempre sueña con encontrarme. Y yo me siento avergonzado, porque me pone tan arriba cuando quizá valgo mucho menos que ella, tan pura, tan genuina. En cambio yo, un ser plagado de gravísimos defectos, con personajes tan siniestros como Fernando Vidal Olmos. Pero también temblé escribiendo esos fragmentos donde aparecen seres infinitamente bondadosos como Hortensia Paz, el camionero Busich o el loco Barragán, el profeta de barrio. Aquellos seres modestos, esos analfabetos llenos de bondad, y los jóvenes con su candorosa esperanza, son los que me salvarán. En cambio, todo lo otro, las precarias hipótesis, las ideas y teorías de los ensayos, no sirven para justificar la existencia.

Y entonces, cuando el final se aproxima, al repasar tramos de una larga travesía, puedo afirmar que pertenezco a esa clase de hombres que se han formado en sus tropiezos con la vida. De manera que, cuando algún exégeta habla de mi "filosofía", no puedo sino turbarme, porque tengo la misma rela-

ción con un filósofo que la existente entre un gue-
rrillero y un general de carrera. O quizá, mejor, entre un geógrafo y un aventurero explorador cuya intuición le sugiere la búsqueda de un tesoro en lo
más profundo de la selva malaya, del que tiene am-
biguas noticias, ni siquiera la seguridad de su existencia. En el arduo trayecto contemplé lugares maravillosos, pero también tuve que enfrentarme con
seres siniestros y obstáculos casi insuperables, y caí
una y otra vez. Desesperado por no dar con el tesoro, descreyendo de mi capacidad para encontrarlo
entre tanta penuria, perdí reiteradamente la fe.

Digo la verdad cuando afirmo que desconozco
otras regiones, que mi ignorancia de otras realidades
es innumerable, pero en cambio puedo reivindicar la
búsqueda apasionada en el camino que seguí.

II

Quizá sea el fin

Hora de duelo, taciturna mirada del sol,
es el alma un extraño en la tierra.

GEORG TRAKL

Veo las noticias y corroboro que es inadmisible abandonarse tranquilamente a la idea de que el mundo superará sin más la crisis que atraviesa.

El desarrollo facilitado por la técnica y el dominio económico, han tenido consecuencias funestas para la humanidad. Y como en otras épocas de la historia, el poder, que en un principio parecía el mejor aliado del hombre, se prepara nuevamente para dar la última palada de tierra sobre la tumba de su colosal imperio.

"Indudablemente, cada generación se cree destinada a rehacer el mundo. La mía sabe, sin embargo, que no podrá hacerlo. Pero su tarea es quizá mayor. Consiste en impedir que el mundo se deshaga. Heredera de una historia corrupta en la que se mezclan las revoluciones fracasadas, las técnicas enloquecidas, los dioses muertos y las ideologías extenuadas; en la que poderes mediocres, que pueden hoy destruirlo todo, no saben convencer; en que la inteligencia se humilla hasta ponerse al servicio del odio y de la opresión." En el ocaso del siglo XX, cómo dudar de la veracidad de estas palabras de Camus. Sin embargo, hay quienes pretenden seguir hablando acerca del progreso de la Historia, en un acto suicida que pretende mirar de soslayo el patético legado racionalista.

La historia no progresa. Fue el gran Gianbattista Vico el que lo dijo: *"Corsi e recorsi".* La historia está regida por un movimiento de marchas y contramarchas, idea que retomó Schopenhauer y luego, Nietzsche. El progreso es únicamente válido para el pensamiento puro. Las matemáticas de Einstein son evidentemente superiores a las de Arquímedes. El resto, prácticamente lo más importante, ocurre de la corteza cerebral para abajo. Y su centro es el corazón. Esa misteriosa víscera, casi mecánica bomba de sangre, tan nada al lado de la innumerable y laberíntica complejidad del cerebro, pero que por algo nos duele cuando estamos frente a grandes crisis. Por motivos que no alcanzamos a comprender, el corazón parece ser el que más acusa los misterios, las tristezas, las pasiones, las envidias, los resentimientos, el amor y la soledad, hasta la misma existencia de

Dios o del Demonio. El hombre no progresa, porque su alma es la misma. Como dice el Eclesiastés, "no hay nada nuevo bajo el sol", y se refiere precisamente al corazón del hombre, en todas las épocas habitado por los mismos atributos, empujado a nobles heroísmos, pero también seducido por el mal. La técnica y la razón fueron los medios que los positivistas postularon como teas que iluminarían nuestro camino hacia el Progreso. ¡Vaya luz que nos trajeron! El fin de siglo nos sorprende a oscuras, y la evanescente claridad que aún nos queda, parece indicar que estamos rodeados de sombras. Náufrago en las tinieblas, el hombre avanza hacia el próximo milenio con la incertidumbre de quien avizora un abismo.

En 1951 publiqué *Hombres y engranajes*. Desgraciadamente, se ha cumplido aquella intuición por la que recibí tal cantidad de críticas por parte de los famosos progresistas que, durante diez años, me quitaron los deseos de volver a publicar.

Más de cuarenta años han pasado desde la aparición de aquel balance espiritual de mi existencia, escrito en medio de las grandes convulsiones del mundo. Ahora, gran parte de lo que allí expuse es una escalofriante realidad. Muchos de los que entonces me atacaron y me ridiculizaron, acusándome de oscurantista, recién están comprendiendo el mundo atroz que hemos engendrado.

Allí expuse mi desconfianza y mi preocupación por el mundo tecnólatra y cientificista, por esa concepción del ser humano y de la existencia que empezó a sobrevalorarse cuando el semidiós renacentista se lanzó con euforia hacia la conquista del universo, cuando la angustia metafísica y religiosa fue reemplazada por la eficacia, la precisión y el saber técnico. Aquel irrefrenable proceso acabó en una terrible paradoja: la deshumanización de la humanidad. En ese libro, hace más de medio siglo, escribí:

Esta paradoja, cuyas últimas y más trágicas consecuencias padecemos en la actualidad, fue el resultado de dos fuerzas dinámicas y amorales: el dinero y la razón. Con ellas, el hombre conquista el poder secular. Pero —y ahí está la raíz de la paradoja— esa conquista se hace mediante la abstracción: desde el lingote de oro hasta el clearing, desde la palanca hasta el logaritmo, la historia del creciente dominio del hombre sobre el universo ha sido también la historia de las sucesivas abstracciones. El capitalismo moderno y la ciencia positiva son las dos caras de una misma realidad desposeída de atributos concretos, de una abstracta fantasmagoría de la que también for-

ma parte el hombre, pero no ya el hombre concreto e individual sino el hombre-masa, ese extraño ser con aspecto todavía humano, con ojos y llanto, voz y emociones, pero en verdad engranaje de una gigantesca maquinaria anónima. Este es el destino contradictorio de aquel semidiós renacentista que reivindicó su individualidad, que orgullosamente se levantó contra Dios, proclamando su voluntad de dominio y transformación de las cosas. Ignoraba que también él llegaría a transformarse en cosa.

No fueron aquellos pensamientos improvisados, sino avalados por grandes pensadores existenciales, por espíritus profundos y visionarios como Pascal, Buber, Berdiaev, Nietzsche, Unamuno, Jaspers, Schopenhauer, Emerson, Thoreau. Muy importantes en mi formación fueron Dostoievski, con su trascendental subsuelo, y Kierkegaard, que había colocado sus bombas en los cimientos de la catedral hegeliana. La prensa de su país y los luteranos lo caricaturizaron bárbaramente, justo a él, que era una especie de Cristo redivivo. En cuanto a lo que podría llamar fundamentos sociológicos e históricos, fueron de gran valor los estudios de Munford, Denis de Rougemont, Pirenne, Von Martin, y tantos otros que, como profetas en el desierto, anunciaron la tragedia que se avecinaba. Cuando los motores de la Revolución Industrial se pusieron en movimiento, el hombre se vio trágicamente desplazado. Pero también aumentó la resistencia de espíritus lúcidos e intuitivos que encarnaron valiente y tumultuosamente la rebelión romántica. Grandes poetas y pensadores de aquel movimiento advirtieron las consecuencias que ocasionaría la desacralización del cosmos y del ser humano. Muchos fueron calumniados, empujados al alcohol o hacia un triste exilio. Como le ocurrió al genial Shelley que en unos versos había vaticinado: "Un pueblo muere de hambre en campos no labrados".

Aquellas advertencias no sólo no fueron escuchadas, sino que además fueron burladas por la prepotencia racionalista. Guerras mundiales, terribles dictaduras de izquierda y de derecha, suicidios en masa, resurgimiento de neonazismos, aumento de la criminalidad infantil, profunda depresión. Todo corrobora que en el interior de los Tiempos Modernos, fervorosamente alabados, se estaba gestando un monstruo de tres cabezas: el racionalismo, el materialismo y el individualismo. Y esa criatura que con orgullo hemos ayudado a engendrar, ha comenzado a devorarse a sí misma.

Hoy no sólo padecemos la crisis del sistema capitalista, sino de toda una concepción del mundo y de la vida basada en la deificación de la técnica y la explotación del hombre.

La materialización del Universo, legítima para los poliedros y las reacciones químicas, ha sido dramática para la futura supervivencia del hombre. Enloquecidos por ser aceptados por el hiperdesarrollo, hemos cometido el gravísimo error de perder nuestro ser original imitando a los imperios de la máquina y del delirio tecnológico.

Una vez que el logos se tecnificó, el proceso de industrialización y mecanización ha sido paralelo al perfeccionamiento de los medios de tortura y exterminio.

El terrorismo internacional, el horror de Bosnia, el recrudecimiento de los conflictos de Medio Oriente, y esas heridas sobre la carne del mundo que son las calles de Calcuta, confirman que Hannah Arendt tenía razón al afirmar, ya en los años cincuenta, que la crueldad de este siglo sería insuperable.

Hace escasos años, dos potencias se disputaban el mundo. Fracasado el comunismo, se difundió la falacia de que la única alternativa es el neoliberalismo. En realidad, es una afirmación criminal, porque es como si en un mundo en que sólo hubiese lobos y corderos nos dijeran: "Libertad para todos, y que los lobos se coman a los corderos".

Se habla de los logros de este sistema cuyo único milagro ha sido el de concentrar en una quinta parte de la población mundial más del ochenta por ciento de la riqueza, mientras el resto, la mayor parte del planeta, muere de hambre en la más sórdida de las miserias. Habría que plantearse qué se entiende por neoliberalismo, porque en rigor, nada tiene que ver con la libertad. Al contrario, gracias al inmenso poder financiero, con los recursos de la propaganda y las tenazas económicas, los Estados poderosos se disputan el dominio del planeta.

El absolutismo económico se ha erigido en poder. Déspota invisible, controla con sus órdenes la dictadura del hambre, la que ya no respeta ideologías ni banderas, y acaba por igual con hombres y mujeres, con los proyectos de los jóvenes y el descanso de nuestros ancianos.

Un ejemplo de la deshumanización a que este sistema nos está llevando es Brasil: mientras cuarenta millones de hambrientos pueblan el nordeste, en San Pablo hay casi un millón de chiquitos sin hogar, que roban por las calles para poder comer alguna cosa, forzados a prostituirse en su niñez, rematados por cien o doscientos dólares, asesinados por comandos especializados, secuestrados y muertos para vender sus órganos a los laboratorios del mundo.

Me contó un sacerdote dominico, profesor de teología en la Universidad de San Pablo, que un estudio elaborado por la policía federal reveló que en los últimos tres años, cuatro mil seiscientos niños fueron asesinados en el país.

Miles de niños latinoamericanos son exportados desde su país de origen a Europa, los Estados Unidos y Japón; y hay suficientes indicios que prueban la existencia de criaturas sacrificadas, sobre todo en Brasil, Honduras, Guatemala y México.

Trágicamente, la hermana Martha Pelloni me ha mostrado que hechos atroces similares están ocurriendo en la Argentina.

Para todo hombre es una vergüenza, un crimen, que existan doscientos cincuenta millones de niños explotados en el mundo. Obligados a trabajar desde los cinco, seis años en oficios insalubres, en jornadas agotadoras por unas monedas, cuando tienen suerte, porque muchos chiquitos trabajan en regímenes de esclavitud o semiesclavitud, sin protección legal ni médica.

Estos millones de niños, analfabetos, más flacos, más bajos que nuestros niños que van a las escuelas, sufren enfermedades infecciosas, heridas, amputaciones y vejaciones de todo tipo.

Se los encuentra en las grandes ciudades del mundo tanto como en los países más pobres. En América Latina, quince millones de niños son explotados.

Cuando uno se acerca a esta realidad, de inmediato recuerda la historia de los niños que trabajaban en las minas de carbón en épocas de la Revolución Industrial. Situaciones que parecían definitivamente atrás, están hoy al alcance de nuestros ojos. Representan la involución de las conquistas sociales que se lograron con sangre a través de siglos. Hoy en el mundo ya no hay respeto por las horas de trabajo, por la jubilación, por los derechos a la educación y a la salud. Enfermedades que creíamos vencidas han vuelto: tuberculosis, sífilis, cólera.

El estado de desprotección y violencia en el que se encuentran expuestos los chiquitos nos demuestra palmariamente que vivimos un tiempo de inmoralidad. Estos hechos aberrantes nos absorben como un vórtice, haciendo realidad las palabras de Nietzsche: "Los valores ya no valen".

Cada mañana, miles de personas reanudan la búsqueda inútil y desesperada de un trabajo. Son los excluidos, una categoría nueva que nos habla tanto de la explosión demográfica como de la incapacidad de esta economía para la que lo único que no cuenta es lo humano.

Son excluidos los pobres que quedan fuera de la sociedad porque sobran. Ya no se dice que son "los de abajo" sino "los de afuera".

Son excluidos de las necesidades mínimas de la comida, la salud, la educación y la justicia; de las ciudades como de sus tierras. Y estos hombres que diariamente son echados afuera, como de la borda de un barco en el océano, son la inmensa mayoría.

Tantos valores liquidados por el dinero y ahora el mundo, que a todo se entregó para crecer económicamente, no puede albergar a la humanidad.

Para conseguir cualquier trabajo, por mal pago que sea, los hombres ofrecen la totalidad de sus vidas. Trabajan en lugares insalubres, en sótanos, en barcos factoría, hacinados y siempre bajo la amenaza de perder el empleo, de quedar excluidos.

Al parecer, la dignidad de la vida humana no estaba prevista en el plan de globalización. La angustia es lo único que ha alcanzado niveles nunca vistos. Es un mundo que vive en la perversidad, donde unos pocos contabilizan sus logros sobre la amputación de la vida de la inmensa mayoría. Se ha hecho creer a algún pobre diablo que pertenece al Primer Mundo por acceder a los innumerables productos de un supermercado. Y mientras aquel pobre infeliz duerme tranquilo, encerrado en su fortaleza de aparatos y cachivaches, miles de familias deben sobrevivir con un dólar diario. Son millones los excluidos del gran banquete de los economicistas.

Cuando por la calle veo tantos negocios cerrados, o vecinos del barrio me detienen para decirme que no podrán seguir manteniendo su tallercito, que no les rinden las ganancias para cubrir los impuestos, pienso en la corrupción y la impunidad, en el grosero despilfarro y en la opulencia amoral de unos cuantos individuos, y tengo la sensación de que estamos en el hundimiento de un mundo donde, a la vez que cunde la desesperación, aumenta el egoísmo y el "sálvese quien pueda". Mientras los más desafortunados sucumben en la profundidad de las aguas, en algún rincón ajeno a la catástrofe, en medio de una fiesta de disfraces siguen bailando los hombres del poder, ensordecidos en sus bufonadas.

La educación pública creada por los grandes intelectuales que nos gobernaron en el siglo pasado, que tuvieron la iniciativa de construir una educación primaria libre, gratuita y obligatoria es el fundamento de esta nación hoy en derrumbe.

En esas escuelitas de mi infancia, humildes maestras nos enseñaban a ser "buscadores de la verdad", como la negra Ozán, india, hija de un domador, que nos mantenía al trote, pero que a la vez, supo educarnos con cariñosa disciplina. Por aquel tiempo, tendría yo unos once años, era el dibujante de la clase, y en días como el 20 de junio pintaba con tizas de colores al general Belgrano haciendo jurar por su ejército dos franjas de género celeste y una blanca, que por aquel acto serían capaces de convocar batallas y arrastrar a sus hombres a la muerte o a la victoria, porque ese paño, a menudo sucio y maltrecho, era el símbolo de la Patria.

En un crisol casi único en el mundo, los hijos de pobres inmigrantes, mientras sus padres les narraban historias de tierras lejanas, en aquellas escuelas escuchaban con devoción la vida de sus próceres, Belgrano y San Martín. O como en el día de la Independencia, cuando izábamos en el patio la bandera a los sones del Himno Nacional y aguardábamos el chocolate caliente, ateridos por el frío pampeano.

Así aprendimos a amar a la Patria, con un noble sentimiento que congrega, porque quien ama verdaderamente a su patria, comprende y respeta a las demás; a la inversa del patrioterismo, que es bajo y mezquino, presuntuoso, plagado de la vanidad que nos aleja y nos hace odiar. Lo que ocurre con tantas potencias que se consideran superiores por el solo hecho de dominar a las demás naciones.

Desde la siniestra noche en que los estudiantes fueron expulsados de la Universidad a bastonazos, para encerrarlos en las cárceles, cuando miles de universitarios e intelectuales debieron irse del país, y luego, cuando fuimos conocidos por las atrocidades cometidas durante la dictadura, lo único que nos rescató del menosprecio universal fue el alto nivel de nuestros profesores, ingenieros, biólogos, médicos, físicos, matemáticos, astrónomos, escritores y artistas que eran convocados desde todas partes del mundo, poniéndonos por encima de países altamente desarrollados. Un arquitecto de apellido Pelli ha deslumbrado a los norteamericanos por la originalidad de sus construcciones. Y un hijo o nieto de inmigrantes, como Milstein, llegó a ser Premio Nobel por su revolucionario avance en el campo de la genética, pero debió ir a la Universidad de Cambridge porque aquí ni siquiera tenía los aparatos necesarios para confirmar sus ideas.

Toda educación depende de la filosofía de la cultura que la presida; y debido a estos obsecuentes imitadores de los "países avanzados" —¿avanzados en qué?— corremos el peligro de propagar aún más la robotización. Debemos oponernos al vaciamiento de nuestra cultura, devastada por esos economicistas que sólo entienden del Producto Bruto Interno —jamás una expresión tan bien lograda—, que están reduciendo la educación al conocimiento de la técnica y de la informática, útiles para los negocios, pero carente de los saberes fundamentales que revela el arte.

Esta educación es sólo accesible a quienes queden incluidos dentro de los muros de nuestra sociedad, ya que el mundo de la técnica y la informática, que supuestamente nos iba a acercar unos a otros, significó, para la inmensa mayoría, un abismo insalvable.

En esta primavera de 1998, esperando las primeras luces del amanecer, que siempre o casi siempre,
renuevan una esperanza, medito en este país destruido y ensuciado por los gobernantes y la mayor
parte de los políticos. Tan lejos, tanto, de la Argentina de mi adolescencia, con extraordinarias univer-
sidades que grandes hombres ha dado al mundo, pero que hoy es apenas la ruina de un hermosísimo
castillo.

Por todo esto, en distintas oportunidades he visi-
tado a los maestros que desde hace más de un año
ayunan en la Carpa Blanca, frente al Congreso. Símbolo conmovedor de esa reserva que salvará al país,
si logramos recuperar los valores éticos y espiritua-
les de nuestros orígenes. La educación es lo menos
material que existe, pero lo más decisivo en el porvenir de un pueblo, ya que es su fortaleza espiritual;
y por eso es avasallada por quienes pretenden vender al país como oficinas de los grandes consorcios
extranjeros. Sí, queridos maestros, continúen resistiendo, porque no podemos permitir que la educación se convierta en un privilegio.

Los excluidos no tienen justicia que los defienda.
He ido a la villa treinta y uno, de Retiro, para solidarizarme con los sacerdotes que ayunan en repudio por la crueldad con que se pretendió echar a la gente, derribando sus precarias construcciones con salvajes topadoras.

Al regresar a casa, durante la noche he podido ver por televisión cómo se agredía a unos obreros que se negaban a desalojar una fábrica, golpeados con violencia, tratados como delincuentes por una sociedad que no considera un delito negarles a los hombres su derecho al trabajo; expropiándoles, incluso, hasta las pocas leyes laborales que los protegían.

También he visto a la policía corriendo con palos y tanques hidráulicos a vendedores ambulantes, en lugar de encarcelar a los que se están robando hasta las últimas monedas y tienen dinero y poder para comprar a esa justicia que cae con despiadada dureza sobre un pobre ladrón de gallinas. Como el muchacho que me escribió desde una cárcel cordobesa pidiéndome un ejemplar del *Nunca Más* autografiado. Mientras ese hombre estaba preso por un delito menor, en un gesto aberrante se puso en libertad a los culpables de haber desangrado a la Patria.

Con gran amargura, la tarde en que escuché la noticia de los indultos, me encerré en mi estudio sin deseos de ver a nadie, mientras volvían a mi mente las imágenes del horror, aquellos escenarios del suplicio.

En los años que precedieron al golpe de Estado de 1976, hubo actos de terrorismo que ninguna comunidad civilizada podría tolerar. Invocando esos hechos, criminales de la más baja especie, representantes de fuerzas demoníacas, desataron un terrorismo infinitamente peor, porque se ejerció con el poderío e impunidad que permite el Estado absoluto, iniciándose una caza de brujas que no sólo pagaron los terroristas, sino miles y miles de inocentes.

Cuando el país amaneció de esa pesadilla, el presidente Alfonsín, en su condición de jefe supremo de las Fuerzas Armadas, ordenó a los tribunales militares enjuiciar a los culpables de ese histórico horror. Luego, como estatuye la Constitución, el fuero civil daría la última palabra. Finalmente se nombró una comisión de civiles que, a través de una investigación paralela, aportó pruebas a la labor de los tribunales.

Como tantas veces comentamos con Magdalena Ruiz Guiñazú, el horror que día a día íbamos descubriendo, dejó a todos los que integramos la CONADEP, la oscura sensación de que ninguno volvería a ser el mismo, como suele ocurrir cuando se desciende a los infiernos. Siempre recordaré la entereza ética y espiritual de las personalidades de la ciencia, la filosofía, varias religiones y el periodismo, que integraron la comisión.

El informe era transcripto por dactilógrafas que debían ser reemplazadas cuando, entre llantos, nos decían que les era imposible continuar su labor. En más de cincuenta mil páginas quedaron registradas las desapariciones, torturas y secuestros de miles de seres humanos, a menudo jóvenes idealistas, cuyo suplicio permanecerá para siempre en el lugar más desgarrado de nuestro corazón.

El terrorismo de Estado provocó también la destrucción de las familias de los desaparecidos. Padres y madres, en su atormentada fantasía, enterraron y resucitaron a sus hijos, sin saber, siquiera, la monstruosa realidad. Será difícil calcular cuántos padres murieron o se dejaron morir de angustia y de tristeza, cuántos otros enloquecieron. Como ocurrió con Miguel Itzigson, mi gran amigo, que en sus años finales tuvo como único objetivo recuperar a su hija, lograr alguna vez la verdad y la justicia. Pero el enfrentamiento con aquel horror, hecho de la crueldad de unos y la indiferencia de otros, acabó quebrando su admirable temple. Se dejó morir de tristeza.

El día en que la CONADEP entregó el informe al presidente de la Nación, la Plaza de Mayo desbordaba de hombres, mujeres, jóvenes y madres con sus criaturas en brazos, que de ese modo daban su apoyo a aquel acontecimiento fundamental de nuestra historia. Ya que *Nunca Más* deberíamos reiterar los hechos que nos hicieron trágicamente famosos, cuando la prensa del mundo entero escribía en castellano la palabra "desaparecido".

Lamentablemente, las leyes de Obediencia debida y de Punto final, y luego los indultos, han abortado aquella voluntad soberana que hubiese sido un ejemplo de lucha ética, que hubiera tenido consecuencias ejemplares para el futuro de nuestra patria. Porque la tragedia que vivió la Argentina no será olvidada jamás por los que poseen un corazón noble; no sólo por quienes han presenciado aquel infierno, sino también por la condena de todos los seres de conciencia del mundo. Como lo demuestra la investigación que en otros países llevan adelante seres como el juez Baltazar Garzón, con quien estuve durante mi último viaje a España. La sangre, el horror y la violencia cuestionan a la humanidad entera, y nos demuestran que no podemos desentendernos del sufrimiento de ningún ser humano.

Con qué indignación he visto, en un día de huelga nacional, con despótica soberbia, a la policía arrojando al suelo la comida que unos obreros preparaban en sus ollas populares. Y entonces me pregunto en qué clase de sociedad vivimos, qué democracia tenemos donde los corruptos viven en la impunidad, y al hambre de los pueblos se la considera subversiva.

También de sus tierras han sido excluidos los hombres. Hace unos años estuve con los indios wichis en la plaza del Congreso. Desde hacía una semana, realizaban una huelga de hambre en reclamo por las tierras que, como a tantas comunidades indígenas, les fueron usurpadas desde el tiempo de la conquista, víctimas de un genocidio que se realizó a fuerza de guerras, epidemias desconocidas y el infaltable cautiverio. Desde entonces, el sometimiento y el maltrato que reciben en todo el continente los obliga a sobrevivir en miserables reservas, incapacitados para satisfacer sus necesidades básicas de alimentación, salud, vivienda y educación.

Hoy, uno de los graves problemas que muchas de estas comunidades deben afrontar, bajo un riesgo vertiginoso y destructivo, es la necesidad de emigrar hacia las grandes ciudades, donde viven alienados, impulsados por el hambre pero también por descabelladas ilusiones, como sucedió en Lima, que en los últimos veinte años triplicó su población por la llegada de indígenas. Ciudades en las que viven degradados en suburbios donde cunden el cólera, la meningitis, la tuberculosis y todas las calamidades que acarrean la pobreza y el desarraigo. Viven, si puede usarse ese verbo en el sentido grande y misterioso, o tristemente sobreviven, ajenos y perdidos.

Aquí mismo, a Buenos Aires, capital de un país que en un tiempo fue casi desierto, con pocas comunidades autóctonas, están llegando millares de indios bolivianos y paraguayos que atraviesan la frontera y que son esclavizados en trabajos clandestinos, por falta de documentos. Duermen en el suelo, hacinados y sucios. Han perdido su dignidad y sus rituales arcaicos.

En las comunidades indígenas, los hechos esenciales de la existencia estaban vinculados al ritmo del cosmos y la naturaleza. Y aún hoy, muchos de ellos conservan sus ritos, como los mapuches, que se preparan para recibir el Año Nuevo con ceremonias acompañadas de danzas y oraciones, en las que ruegan a los dioses para que les den salud y buenos augurios, para que el año que comienza sea óptimo en lluvias y cosechas. En cambio, los ritos y las tradiciones de nuestras sociedades se han desvirtuado, o se han convertido en simulacros en los que ya nadie cree, consecuencia del barbarismo tecnológico.

Escindido el pensamiento mágico y el pensamiento lógico, el hombre quedó exiliado de su unidad primigenia; se quebró para siempre la armonía entre el hombre consigo mismo y con el cosmos.

Hace tiempo vi una extraordinaria película de Emir Kusturica sobre la desaparición de Yugoslavia. Me impresionó el desgarro con que muestra la crueldad de ese exterminio. Y cuando miré a esos seres en su inmundo subsuelo, sosteniendo con su dolor la vida de individuos mezquinos y despiadados, sentí que era la gran metáfora de este tiempo en que algo de la humanidad del hombre se está eclipsando.

Una sensación similar me volvió a sobrecoger una tarde, mientras viajaba en tren. Entró una mujer esmirriada, de tez morena, que, con un acordeón destartalado, hacía sonar una música lúgubre. Sobre su pecho llevaba colgado un cartel donde explicaba que había tenido que escapar de Rumania. Escuché su melodía, y me detuve a observar a esa mujer sin patria y sin hogar, sin importar si provenía de Rumania, de Bosnia o de la ex Yugoslavia. Era únicamente un ser errante, como los miles de refugiados en el mundo, o los Sin Tierra de Brasil, o los que desesperadamente intentan huir de la desvalida Albania. Una entre los millones cuya intemperie nos hace responsables. Son aquellos que desconocen ideologías o estadísticas sociológicas, pero que saben bien que ellos no cuentan en la historia. Cuando ya se alejaba hacia el siguiente vagón, me encontré con la mirada triste de una chiquita que cargaba sobre sus espaldas. Me hizo pensar en lo que está sucediendo: un mundo que parece marchar hacia su desintegración, mientras la vida nos observa con los ojos abiertos, hambrientos de tanta humanidad.

Me estremeció una noticia que leí esta mañana en el diario; la recorté y la guardé en uno de los cajones de mi archivo, entre esos tantos retazos que en estos años me han ayudado a vivir.

Una mujer, en un crudo invierno, apenas con una remera y un pantalón, se escapó del Hospital Psiquiátrico con el deseo de ir a buscar a su compañero. Aprovechando la distracción del maquinista, robó una locomotora y, haciéndola funcionar sin dificultad, comenzó su odisea. Él había trabajado en el ferrocarril y le había enseñado a conducir trenes y "muchas cosas más".

"Si ustedes supieran lo que es el amor, me dejarían seguir", le decía al oficial que la detuvo y, mientras la llevaba a la comisaría, con llantos desesperados, gritaba: "¿Vos nunca hiciste nada por amor?".

¡Cuánto más humanos son estos gestos que los de tantos individuos que corren por la ciudad enceguecidos con sus proyectos!

He querido rescatar esta historia de entre mis papeles, ya que de alguna manera, cuando el razonamiento nos conduce al borde de la psicosis colectiva, estos actos son lo más parecido a una salvación.

Los que me quieren me ruegan que no me levante tan temprano, temen por mi salud; los médicos me revisan, me hacen estudios. En realidad, me estoy humanizando; es una de las consecuencias del sufrimiento. ¿Sería esto una justificación del dolor?

Hoy intenté descansar al menos hasta las cinco, pero sobrevino una especie de visión de la que poco a poco comencé a tomar semiconciencia, algo dislocado, pero que sin embargo se iba imponiendo sobre mí, y así pasé un rato largo debatiéndome entre la realidad y el delirio. Hasta que comencé a dar vueltas en la cama, me destapé y esperé que el frío tranquilizara mis nervios.

Algo turbio, relacionado con la realidad que estamos viviendo, desde el inconsciente, como un murmullo, me recordaba lo que estoy pintando en estos últimos años: esos seres terribles que salen del fondo de mi alma, torres que se desploman, pájaros en cielos incendiados. No sé lo que significan, quizás advertencias, acaso secuelas de lo que sufrí escribiendo ciertos pasajes de mis ficciones, como el *Informe sobre ciegos*.

No pude dormir de nuevo, enciendo una linterna y atravieso la oscuridad del estudio. En mi mesa veo los sobres que contienen algunos fragmentos que incluiré en este libro que hago sin premeditación, que me sale del alma, no de mi cabeza, dictado por las preocupaciones y la tristeza de estos años finales.

Reviso los papeles, algunos, muchos, se encuentran marcados, tachados con innumerables correcciones. Por la angustia que me produce, intento olvidar esta tarea, pero vuelve reiterada, obsesivamente, como golpes de puño en el interior de mi cabeza.

Finalmente me cambio y en el jardín, aguardo el amanecer que se demora bajo un cielo cargado de nubes tormentosas. Paso un tiempo sentado, hasta que Gladys me llama para desayunar, lo hago mientras leo los grandes titulares del diario: la crisis social, el desempleo, la corrupción, la impunidad, el estado general del mundo. Más que suficiente para aumentar la tristeza y el desconcierto. Un subtítulo dice: "En una semana quinientas personas, en su mayoría mujeres y niños, mueren incinerados en Indonesia". Recuerdo la expresión con que Dante describe el infierno: "La sangre mezclada en el llanto, recogida por asquerosos gusanos".

Entonces voy a mi estudio y espero la llegada de Diego que, como todas las mañanas, afectuosamente volverá a reanimarme. Conversaremos largamente y luego podremos dar una vuelta por las calles del barrio, o por la estación, hasta que yo pueda recuperar la energía para seguir escribiendo.

La gravedad de la crisis nos afecta social y económicamente. Y es mucho más: los cielos y la tierra se han enfermado. La naturaleza, ese arquetipo de toda belleza, se trastornó.

Nuestro planeta se encuentra en estado desolador, y si no se toman medidas urgentes va en camino de ser inhabitable en poco más de tres o cuatro décadas. El oxígeno disminuye de modo irreversible por el ácido carbónico de autos y fábricas, y por la devastación de los bosques. El hombre necesita de los árboles para vivir. Parecen no saberlo o no importarles a quienes están talando las selvas del Amazonas y las grandes reservas del mundo. Los países desarrollados producen cuatrocientos millones de toneladas por año de residuos tóxicos: arsénico, cianuro, mercurio y derivados del cloro, que desembocan en las aguas de los ríos y los mares, afectando no sólo a los peces, sino también a quienes se alimentan de ellos. Sólo unos pocos gramos de intoxicación son mortales para el ser humano.

Corremos el riesgo de consumir vegetales rociados con plaguicidas que dañan al hígado y a los riñones y producen desórdenes sanguíneos, leucemia, tiroidismo; afectan también al sistema nervioso central y a los ojos. Entre esos plaguicidas se encuentra el terrible veneno llamado "agente naranja".

Los científicos aún no nos han explicado de qué manera vamos a sobrevivir a la radiactividad expandida por el efecto de los reactores nucleares. Ocho millones de seres humanos todavía sufren las consecuencias de la tragedia atómica de Chernobil.

Durante su visita a la Argentina, conversé largamente sobre estos temas con el presidente de la ex Unión Soviética, Mijail Gorvachov, ya que los científicos de su país arrojaron los "corazones" de una gran cantidad de reactores al mar Báltico, ¿acaso pensaban apagarlos? Entre estos desechos se encuentran productos temibles como el plutonio, siniestra referencia a Plutón, dios griego del infierno. Desconocemos lo que en ver-

dad han hecho, por su parte, los países más desarrollados, pero es alarmante la indiferencia con
que han respondido a los reclamos de destacados
organismos ecologistas, como Greenpeace. Parece no contar que estamos al borde de la destrucción física del planeta, tal es el individualismo y
la codicia.

A pesar del alto riesgo que significan los productos radiactivos, su almacenamiento sigue
constituyendo un inestimable agente de control.
Los países más desvalidos, como la India, o se
proclaman orgullosamente como nueva potencia
nuclear, o corren el riesgo de ser vendidos como
basureros atómicos. Algo que en reiteradas oportunidades estuvo a punto de sucederle a nuestro
país.

Otro peligro para tener en cuenta es el agujero
de ozono, ¡agujero que ya tiene el tamaño del continente africano! Además del recalentamiento del
planeta, consecuencia de la emisión de gases in-
dustriales y del efecto "invernadero", está en peligro el futuro de los países insulares debido al crecimiento del nivel de los ríos y mares. Sin olvidar
las especies en extinción: se calcula que setenta
especies desaparecen por día.

En la antigüedad, según Berdiaev, el proyecto
del universo humano era también tarea de fuer-

zas divinas. Desacralizada la existencia y aplastados los grandes principios éticos y religiosos de todos los tiempos, la ciencia pretende convertir los laboratorios en vientres artificiales. ¿Se puede pensar algo más infernal que la clonación? ¿Podemos seguir día a día cumpliendo con tareas de tiempos de paz, cuando a nuestras espaldas se está fabricando la vida artificialmente?

Nada queda por ser respetado.

A pesar de las atrocidades ya a la vista, el hombre avanza perforando los últimos intersticios donde se genera la vida. Con grandes titulares se nos informa que la clonación es ya un éxito. Y nosotros, todos los hombres del planeta que no queremos esta profanación última de la naturaleza, ¿qué podemos hacer frente a la inmoralidad de quienes nos someten?

La humanidad ha recibido una naturaleza donde cada elemento es único y diferente. Únicas y diferentes son todas las nubes que hemos contemplado en la vida, las manos de los hombres y la forma y el tamaño de las hojas, los ríos, los vientos y los animales. Ningún animal fue idéntico a otro. Todo hombre fue misteriosa y sagradamente único.

Ahora, el hombre está al borde de convertirse en un clon por encargo: ojos celestes, simpático, emprendedor, insensible al dolor o trágicamente, preparado para esclavo. Engranajes de una máquina, factores de un sistema, ¡qué lejos, Hölderlin, de cuando los hombres se sentían hijos de los Dioses!

Los jóvenes lo sufren: ya no quieren tener hijos. No cabe escepticismo mayor.

Así como los animales en cautiverio, nuestras jóvenes generaciones no se arriesgan a ser padres. Tal es el estado del mundo que les estamos entregando.

La anorexia, la bulimia, la drogadicción y la violencia son otros de los signos de este tiempo de angustia ante el desprecio por la vida de quienes nos mandan.

¿Cómo podríamos explicarles a nuestros abuelos que hemos llevado la vida a tal situación que muchos de los jóvenes se dejan morir porque no comen o vomitan los alimentos? Por falta de ganas de vivir o por cumplir con el mandato que nos inculca la televisión: la flacura histérica.

Cientos de miles de jóvenes son drogadictos. Andan como bandas por las plazas del mundo.

Todo hace pensar que la Tierra va en camino de transformarse en un desierto superpoblado. No es casual que en una de las últimas Cumbres Ecológicas se hayan previsto guerras, en un futuro no muy lejano, para la obtención de agua potable.

Este paisaje fúnebre y desafortunado es obra de esa clase de gente que se ha reído de los pobres diablos que desde hace tantos años lo veníamos advirtiendo, aduciendo que eran fábulas típicas de escritores, de poetas fantasiosos.

Según esa inversión semántica que traen las lenguas, el epíteto de realistas señala a individuos que se caracterizan por destruir todo género de realidad, desde la más candorosa naturaleza, hasta el alma de hombres y de niños.

Si bien los optimistas impertérritos arguyen que la humanidad ha sabido siempre sobreponerse a los bárbaros acontecimientos, de ninguna manera estamos en condiciones de poder confiar en esta clase de sofismas. En primer lugar, porque hay civilizaciones enteras que jamás se recuperaron, y en segundo, porque atravesamos una crisis total y planetaria.

Ya hace unos años, la capacidad destructiva del mundo era cinco mil veces superior a la que había en la época de la Segunda Guerra Mundial, el poder de las bombas atómicas en reserva superaba un millón de veces a la bomba que destrozó Hiroshima.

Un chiquito muere de hambre cada dos segundos. Lo criminal es que con el medio por ciento del gasto de armamentos se podría resolver el problema alimentario de todo el mundo. Nada hace pensar que estas cifras estén variando para mejor. Son tiempos en que el hombre y su poder sólo parecen capaces de reincidir en el mal. Hemos puesto en funcionamiento potencias destructoras de tal magnitud que su paso, como señaló Burckhardt, puede llegar a impedir el crecimiento de la hierba para siempre.

Fue en un café de Retiro donde te acercaste a pedir unas monedas y yo te pregunté si querías sentarte. Eras uno de esos tantos que mendigan su inocencia como ángeles excluidos de algún cielo perverso y extraño. Desde luego, no me conocías, y me reconfortó compartir el encuentro. Porque vos, con tu corta edad, llevabas la mirada envejecida por esas atrocidades que, en breve tiempo, realizan en el cuerpo y el alma la devastación que traen los años.

Cuando en alguna oportunidad he vuelto al mismo café, te he buscado con el deseo de saludarte. Ya no estabas, pero te descubro en otros chicos, cuando al regresar de noche a casa, los veo hurgar entre las bolsas de basura, hundiendo en la inmundicia sus pequeñas manos, destinadas a los columpios y a las calesitas. Y no sé por qué, entonces, pienso en

Rimbaud. Quizá, porque también él pertenecía a la raza de los que cantan en el suplicio. Rimbaud, que en las calles de París se alimentaba con los mendrugos que sacaba de la basura, y que dormía por las noches acurrucado en los portales. Recordé sus palabras: "La verdadera vida está ausente".

Y encerrado en este viejo estudio, sentado al borde de la cama, vuelvo a ver el dibujito de la casa que me regalaste, y que yo supuse que era la casa de tus sueños, con flores, pequeñas ventanas y cortinas, con una gran chimenea en el centro que largaba humo de colores, toda esa magia encantatoria de los niños que ni la miseria pareciera borrar.

He estado escribiendo estas líneas que probablemente nunca leerás; querría resguardarte de alguna manera. ¡Qué horror, el mundo!

Sobre estos y otros temas conversé largamente con Cioran, una tarde de 1989. Años atrás me habían llegado noticias del deseo que él tenía de conocerme; insistencia que interpreté como mensajes crípticos, reiterados en distintas oportunidades. Combinamos una cita en su casa de la calle Odeón, a pocos pasos de mi hotel en el Boulevard Saint-Germain.

Me costó disuadir su insistente ofrecimiento de esperarme en la entrada, por temor a que yo me perdiera; lo que me corroboró una vez más su auténtico deseo de verme. Al cabo de unos minutos llegué a su casa, uno de aquellos viejos edificios franceses; y luego de subir los seis pisos a pie, me detuve frente a la puerta de madera donde había colocado, en el lugar reservado para las *chambres de bonnes*, un cartel que decía *Ici Cioran*.

Contrariamente a lo que muchos presuponen y a lo que yo mismo pensaba, me sorprendió aquel hombre amable, menudo y apesadumbrado, predicador de un nihilismo que no coincidía con él. Más bien era un gran pesimista, por momentos subyugado por un otro, escéptico y descreído. Pero siempre con una sonrisa. En ningún momento un huraño indiferente, por el contrario, uno de esos hombres solidarios con la "desventurada muchedumbre", como dijera Mallarmé, en búsqueda de alguien que exprese su desazón y su tormento. Quizá podamos referir a él la frase de Strimberg: "No detesto a los hombres, tengo miedo de ellos".

Conversamos fraternalmente durante más de cuatro horas, hasta que debí retirarme porque en un café no muy lejano me esperaba mi amigo Severo Sarduy. Descubrí en Cioran la coherencia de un hombre auténtico, y compartimos pensamientos de notable similitud. Como la necesidad de desmitificar un racionalismo que sólo nos ha traído la miseria y los totalitarismos. Como también la imbecilidad de los que creen en el progreso y en el avance de la civilización. "Todo se puede sofocar en el hombre, salvo la necesidad del Absoluto, que sobrevivirá a la destrucción de los templos, así como también a la desaparición de la religión sobre la tierra." Palabras de un filósofo cuya lucidez era producto de sus perplejidades y de su tormento.

Tengo la convicción de que su dolor metafísico se habría aliviado si hubiese podido escribir ficciones, por su carácter catártico, y porque los graves problemas de la condición humana no son aptos para la coherencia, sino únicamente accesibles a esa expresión mitopoética, contradictoria y paradojal, como nuestra existencia.

"En la tristeza todo se vuelve alma", dice en uno de sus ensayos que tanto han ayudado a desenmascarar la frivolidad y las sonrisas hipócritas de estos tiempos.

He venido a Santander a recibir el Premio Menéndez y Pelayo, y esta mañana he querido ir con Elvirita a ver el mar desde los acantilados, quizá por última vez. Y mientras escuchaba el rumor de las olas, y el sol comenzaba a ocultarse entre las nubes del poniente, me invadió esa melancolía que siempre he sentido ante cierta indescriptible belleza.

Como bien señaló Berdaiev, la paradoja de los tiempos modernos radica en que el humanismo se ha vuelto en contra del hombre. La sacralización de la inteligencia nos ha empujado al borde del precipicio, y el logos, una vez que hubo dominado el mundo, en vano pretendió responder a lo que sólo se sostiene como enigma o como llanto. Hemos llegado a la ignorancia a través de la razón. En boca de un personaje, Virginia Woolf se pregunta: "¿Con qué nombre tenemos que llamar a la muerte? ¿Y cuál es la frase para el amor? No lo sé. Necesito un lenguaje elemental como el de los amantes, palabras como las que usan los niños".

El humanismo occidental está en quiebra, y el fin del siglo nos encuentra incapaces de preguntarnos por la vida y por el hombre. Una vez afirmada en su poder, la razón prometeica fue incapaz de resolver los problemas fundamentales, ya que no era suficiente robar el fuego para iluminar la historia. Al descorrer los últimos velos, el hombre descubrió su impotencia y su precariedad. Si en estos últimos siglos de historia hemos perdido una oportunidad, ha sido la de construir una historia en la que el hombre fuera protagonista, en lugar de ser un nuevo condenado.

Años atrás, como un Cristo entre ladrones, mataron en Granada a Federico García Lorca. Y a menudo he pensado que aquel crimen horrendo es uno de los símbolos de este mundo que, habiendo erradicado la poesía, ha eregido en su lugar la dureza y el espanto.

No sabemos, pero podemos intuir, en medio de qué honda tristeza, cuando en busca del Absoluto encontró la mediocridad y el desprecio, aquel joven, maravilloso y desdichado Rimbaud, escribió las primeras líneas de su infierno:

Antaño, si no recuerdo mal, mi vida era un
festín en el que todos los corazones se abrían,
en el que vinos de todas las clases fluían sin
cesar. Una noche, senté a la Belleza en mis ro-
dillas. Y la encontré amarga. Y la injurié.

Cuando camino por una plaza, al contemplar la
nobleza de los jacarandaes, o cuando veo aquellos
rostros inefables que siguen estremeciéndose ante
un cielo tormentoso, o los que aún tiemblan al pro-
nunciar palabras sublimes, pienso entonces en la
desdicha de los hombres destinados a la belleza, pero forzados a sobrevivir en la banalidad de esta cultura donde lo que alguna vez fue sentido, ha dege-
nerado en burda diversión, en estimulantes o
patéticos objetos decorativos. Triste epílogo de un
siglo destrozado entre los delirios de la razón y la
crueldad del acero.

Elie Weisel ha dicho que en Auschwitz murió el
hombre y la idea del hombre. Es lo que ha ocurrido
en las épocas en las cuales pareciera haberse producido una ruptura, un corte tal, que corremos el riesgo de ser absorbidos por el vacío.

Como se afirma en *Los endemoniados*, el ser
humano se siente atraído por la creación tanto como por la destrucción; y es este uno de esos mo-

mentos. Vivimos como si hubiéramos llegado a los límites últimos de la existencia. Ya no estamos tan seguros de poder decir junto a Goethe que "la humanidad acabará triunfando". Por el contrario, en el horizonte parecen oírse los últimos estertores. Basta mirar cualquier informativo o ver los títulos de un diario para comprender que estamos convirtiéndonos en las siniestras criaturas que en medio de grotescos aquelarres pintaba Goya. "Los sueños de la razón engendran monstruos", profetizó este artista genial que durante el día retrataba a las señoras gordas de la corte, y luego se encerraba a hacer esos dibujos, como vómitos, que desenmascaraban el ciego positivismo de la Ilustración.

Finalmente hemos llegado al "mundo roto" del que nos habló Gabriel Marcel, y mientras la realidad se desmorona a pedazos, el hombre desfallece psíquica y espiritualmente escindido.

Probablemente nunca comprenderemos del todo lo que nos quiso decir Kafka, que expresó, en una de las obras más reveladoras y profundas del siglo XX, el desconcierto y el desamparo del hombre contemporáneo en un universo duro y enigmático. La caída del hombre en una realidad donde la burocracia y el poder han tomado el espacio de la metafísica y de los Dioses. Extraviado en un mundo de túneles y pasillos, atajos y bifurcaciones, entre paisajes turbios y oscuros rincones, el hombre tiembla ante la imposibilidad de toda meta y el fracaso de todo encuentro.

III

El dolor rompe el tiempo

en lo hondo no hay raíces
hay lo arrancado

Hugo Mujica

Desde que Jorge Federico ha muerto todo se ha derrumbado, y pasados varios días, no logro sobreponerme a esta opresión que me ahoga.

Como perdido en una selva oscura y solitaria, busco en vano superar la invencible tristeza. Antes —¿cuándo antes?: antes de que este desastre ocurriera—, en momentos de depresión, pasaba horas en mi estudio de pintura, trabajando en algún cuadro hasta que la desolación se iba. Pero ahora el tiempo se ha detenido. La angustia permanece y me siento abandonado en el inconmensurable desierto de estas cuatro paredes.

Embriagado de dolor, entre las ruinas de mi mente, resuenan lejanos unos versos de Vallejo:

Hay golpes en la vida tan duros,
golpes como del odio de Dios.

La tarde desaparece imperceptiblemente, y me veo rodeado por la oscuridad que acaba por agravar las dudas, los desalientos, el descreimiento en un Dios que justifique tanto dolor. Los tonos de la tarde me invaden con extrañas presencias que antes no percibía. Ya los cantos de los pájaros son otros, o ninguno. Una luz crepuscular se derrama sobre cada objeto, como si los elevara a una realidad nueva, ahora transfigurada por el sufrimiento.

Una suave lluvia de otoño cae sobre el jardín, y también sobre pájaros y árboles que, ¿quién podrá saberlo?, quizá meditan igual que nosotros.

Cuántas parejas, en las calles de este laberíntico Buenos Aires, se acurrucarán protegiéndose del frío, en esos gestos de un amor inexpresable e imposible.

Desde la ventana de mi estudio miro hacia el jardín. Los jazmines del Cabo, la rosa china, las magnolias y las demás plantas y las flores recuerdan a Jorgito. Y entonces la belleza vuelve a ensombrecerme. Miro, pues, hacia la nada. Observo cosas sin importancia: una goma de borrar, una lapicera, un calendario, mi reloj. Dios mío, ¿qué es esto?

Pasa un *boeing,* con estruendo. ¿Adónde va? ¿Para qué? En mi mesa de trabajo miro una arañita que cruza afanosamente, también hacia su destino. Pero, ¿cuál? Aunque pequeñita, puede tener un destino chiquito, a su escala. La sigo conmovido, hasta que llega al otro borde y desciende por uno de los hilos de su telaraña; con cuánta esperanza la sigo observando mientras desaparece de mi vista aquel ser diminuto que vive sin hacerse tantos planteos, sin esos cuestionamientos que nosotros hacemos para probar ¿qué?

Mi vida parece ir acabando como *El túnel,* con ventanales y túneles paralelos, donde todo es infinitamente imposible. ¡Qué extraño, qué terrible es que al acercarse la muerte vuelvan estas tristísimas metáforas!

Elvirita me habla de Cristo. Me dejo alentar por su sentido religioso de la vida, y del dolor.

Sobre mi escritorio puse una fotografía de Jorge, y ahora lo miro, lo miro con la añoranza de un abrazo que me parte el pecho. Cómo querría volver hacia atrás el tiempo. ¿Cuándo acabará este peso agobiante y absoluto?

El pensamiento se me hunde en el desgarro. ¿Hacia dónde se han vuelto ahora las palabras? Daría todos mis libros —qué pobres, qué ridículos, qué precarios, qué inválidos, qué nada al lado de esta pérdida— y daría mi prestigio, ese prestigio que tanto pongo entre comillas, y los honores y las condecoraciones, por recuperar la cercanía de Jorgito.

He vuelto de Albania adonde fui a recibir el Premio Kadaré. Estaba destrozado, pero fui por no volverme a negar a ese pobre y heroico país que inauguraba conmigo el premio.

En la ciudad de Tirana tuve uno de los homenajes más emocionantes de la vida. Ese pueblo que sufrió una tiranía, y en donde aún se ven los restos de la dictadura, las caras agrietadas por el sufrimiento y los tenebrosos bunkers que había hecho construir el tirano, me agasajó como a un bienhechor, como a un rey, como a un hijo amado.

Hubo bailes y cantos en la inolvidable entrega del Premio. Un poeta me entregó una urna con tierra que había traído del pueblo natal de mi madre. Y un gran escritor me mostró un cuaderno que había guardado oculto en la cárcel; con letra minúscula, tenía copiado un texto de Camus y mi "Querido y remoto muchacho" de *Abadon*. Me dijo llorando que en los muchos años que permaneció como preso político en la oscuridad de la cárcel, diariamente leía estas páginas, a escondidas, para poder resistir. Me quedé temblando por haber servido con mis palabras a ese héroe de los tantos que pueblan aquel país, hoy nuevamente en guerra.

Al día siguiente nos despidieron con música y con flores; fue tan emocionante que me descompuse en los pasillos del aeropuerto de Viena. Elvira corrió por un médico, y después de unas horas, pudimos partir para Madrid.

De vuelta en casa, pienso en lo que vi en aquella tierra de algunos de mis ancestros, un pueblo que viene padeciendo años de sometimiento; y recordaré siempre aquellas madres que han visto morir a los hijos de las maneras más atroces y que, sin embargo, son aún tan generosas. En la soledad de mi cuarto, abatido por la muerte de Jorge, me he preguntado qué Dios parece esconderse detrás del sufrimiento.

Caminando por esta casa que en otro tiempo todos compartimos, y en la que hoy deambulo perdido, me he detenido, Jorgito, ante tu retrato. Silvina Ocampo, gran poeta y autora de cuentos memorables, también alguna vez lo hizo en la época en que estábamos muy cerca. Hace tantos años, tantos.

Lentamente he mirado uno a uno los rasgos de ese niño de diez años que yo llevaba de la mano, creyendo que para siempre estaría junto a mí. Y entonces, a través de las arrugas y de las lágrimas, fui recreando aquel tiempo ya ido, pero tan añorado, y sagrado.

En la soledad de mi estudio, escucho el quinteto de Schumann para cuerdas y piano que tanto amabas. Cómo comprendías que aquel entrañable, melancólico y desdichado músico enloqueciera, y se arrojara al Rhin.

Se te iluminaba la cara cuando hablabas de él, de su familia y de su historia, a la que siempre volvías, como si lo extrañaras o te ayudara a vivir. Admirabas en Schumann su genio musical desbordante de poesía y de ternura y te conmovía el amor de Clara. Ella lo acompañó, lo sostuvo y lo protegió. Y, a su muerte, fue ella la que más ayudó a divulgar su obra, y a que se lo valorara en el mundo entero.

Me vienen a la memoria las tardes que pasábamos conversando con Mario y con vos sobre innumerables temas, para terminar, muy a menudo, hablando de música. Coincidíamos en que Brahms era uno de los supremos, y desde luego Beethoven y Bach. Y el grande y maravilloso Schubert, que nunca llegó a escuchar sus últimos quintetos.

Dios mío ¿dónde estás? Si estás en ellos, ¡qué triste debés de ser también vos, qué melancólico!

Te estoy viendo, Jorge, sentado al piano sobre un taburete, tocando a cuatro manos con Matilde aquellas conmovedoras obras que nos ayudan a sobrellevar la condición humana.

Desde muy chico tuviste una asombrosa condición para la música. Martínez Estrada nos sugirió que te hiciéramos estudiar con una de las discípulas de Scaramuzza, y fue ella la que se asombró al comprobar que tenías el oído absoluto. En uno de los conciertos que se daban a fin de año, D'Urbano, gran crítico musical, dijo: "Hay dos chicos que prometen ser grandes concertistas; uno es el hijo de Sabato, la otra, una chica llamada Martha Argerich". Y sin embargo yo te arranqué de la música cuando Epstein me aseguró que llegarías muy lejos como ejecutante, pero no serías un compositor. Lo hice porque consideré que era un destino cruel vivir subiendo y bajando de aviones, en inhóspitos cuartos de hoteles, sin hogar, sin familia, sin esas pequeñas cosas cotidianas, acaso modestas, pero que nos ayudan a vivir. Algo que nunca me reprochaste, a pesar de tu auténtica pasión por la música, a la que volvías cada tarde, agotado del trabajo, como se vuelve a un amor secreto y verdadero.

Te estoy rindiendo homenaje, Jorge, a tu manera de ser, a tu humildad por momentos irritante. Porque con tu genio nunca te importó que otros utilizaran tus trabajos de investigación y tus ideas. Debés enorgullecerte de Lidia, tu mujer, que a pesar del dolor sigue luchando. Y de tus hijas, que heredaron de vos el talento y la honestidad. Dante y Anne están a su lado.

Nunca he sufrido tristeza igual. Había muerto uno de los seres más grandes que he conocido, generoso en el reconocimiento del genio de los otros, de aquellos a quienes admiraba. Desde Schumann, Brahms, Beethoven, Malraux, Tomas Moro, Saint-Exupéry, Jorge tuvo respeto por la criatura humana, amor por los pobres y desvalidos, por quienes trabajó toda su vida. Desde su cargo de ministro, sin descanso recorrió el país visitando las escuelas en los lugares más apartados.

En este atardecer de 1998, continúo escuchando la música que él amaba, aguardando con infinita esperanza el momento de reencontrarnos en ese otro mundo, en ese mundo que quizá, quizá exista.

Salí a caminar por las calles de Buenos Aires y, conducido por un oscuro presagio llegué hasta los viejos senderos de Parque Lezama. Abrumado por los recuerdos, me detuve frente a la estatua de Ceres, donde cuarenta años atrás, misteriosamente, Martín se encontró con Alejandra. Cuando perdemos el sentido con el cual hemos vivido, volvemos a los lugares donde nos hemos planteado angustiosos interrogantes acerca de la existencia.

Y así, en muchas ocasiones he venido hasta esta plaza y me he sentado en sus bancos, como ayer. Y he permanecido durante horas observando a esos desamparados que abundan en Buenos Aires, como ocurre en todas las grandes ciudades. Esos náufragos que, en medio de un océano tempestuoso, arrojan al mar su botella. Hasta que un día alguien recoge esos fragmentos ilegibles, sin saber a quién pertenecen, si acaso hablan del amor o la calamidad. Pero ayer tarde la depresión me ha ahogado, y Elvira ha tenido que llevarme, casi que empujarme, para poder caminar, tal es mi congoja.

Hoy quiero contar quién ha sido Elvira González Fraga en mi vida. Lo hago como símbolo de gratitud por todo lo que he recibido de ella.

Durante más de dieciocho años, me ha ayudado en mis tareas con su gran talento y extrema sensibilidad. Siempre espero que finalmente acepte publicar lo que ha escrito.

Con emoción, pienso en el amor que ha puesto, en el cuidado de las traducciones de mi obra, en las exposiciones de mis cuadros, en los seminarios y en los congresos, postergando por mí tantas posibilidades. También acompañó a Matilde, y fue ella quien ordenó sus poesías y sus escritos, y los llevó a aquella imprenta artesanal del sur.

Desde que enfermó Matilde, ella ha sido para mí la persona en quien he volcado mi desazón y mi angustia. En este tiempo de dolor, sin el apoyo y la fe de Elvirita, me hubiera muerto. Y ahora, cuando ya no sé si estaré en condiciones de viajar me viene a la memoria una mañana en que la acompañé en París a St. Julien le Pauvre, la pequeña y hermosa iglesia, donde asistimos al rito ortodoxo. Fue un momento trascendente.

Durante meses, después, fui con ella a las misas que celebraba Hugo Mujica, ese hombre de tanta fe como talento, y fue entonces cuando comulgué por primera vez. Elvirita es de las personas más queridas, en la vida.

En la plaza, frente a la estación, me quedé mirando a un chico. Y una vez más me admiré de cómo en la infancia el tiempo va despacio, como si estuviera quieto. Es un infinito que se extiende entre la Fiesta de Reyes que ha pasado y la que vendrá, y los cumpleaños de los chicos suceden después de tantos hechos, o sueños, que el próximo aparece tan distante para ellos, como la ancianidad.

Este remanso hace de la niñez el período más fértil y más vulnerable, los chicos comparten la serenidad de los árboles y el germinar de la tierra. Viven un tiempo que no se acaba: ¿cuánto falta para que llegue la Navidad?, ¿cuánto falta para mi cumpleaños? Para ellos el pasado no existe y el futuro es invisible. Y entonces, cada día es eterno. Muchas veces me he detenido, solo en mi estudio, o con amigos, a cavilar sobre este tema, sobre la diferencia entre el tiempo existencial y el tiempo cronológico: éste es igual para todos; aquél, lo más personal de cada hombre.

Así como despaciosas son las horas de la infancia, cuando uno se va haciendo viejo, las horas se achican, como un astro que girara cada vez en órbitas más pequeñas, y a mayor velocidad, de modo que los regalos de cumpleaños no se han llegado a gozar cuando ya viene, emboscado, un nuevo aniversario.

Con los años, el pasado va aumentando de peso, y la gravedad de la existencia parece desfondarse hacia ese costado. Cuando uno ya ha abandonado la energía de los trabajos, el ardor de la pasión, la ilusión de otros proyectos, con frecuencia, queda habitando el presente, distraidamente, como un juego al que ya no se le prestara atención, porque el yo más profundo ha quedado anclado en esos momentos cuando la vida resplandecía.

Pero ¡cuántas veces he sentido la vida renovada como la de un águila!, ¡cuántas veces la creación me había entregado un fulgor de eternidad!

He vuelto a leer a San Agustín, y he recordado aproximaciones y diferencias. Él plantea, creo que por primera vez en la historia de la filosofía de Occidente, esta idea existencial del tiempo que tanto me había entusiasmado; en cambio, entonces, yo ni me había detenido en su valoración de la eternidad.

En la eternidad nada pasa, sino todo está presente, el pasado viene empujado por un futuro, y el futuro viene en pos de un pasado, ¿quién detendrá el corazón del hombre para ver que se pare y vea, cómo estando la eternidad inmóvil, gobierna los tiempos futuros y pasados, la eternidad ni futura ni pasada?

Antes, en aquellas épocas, una ansiedad creadora me lanzaba siempre más allá, el ser y el tiempo me parecían inseparables, y yo avanzaba hacia el futuro como hacia mi destino. Después, el tiempo fue acelerándose, y yo sentí que debía resignarme y abandonar tantos proyectos.

Cuando murió Jorge Federico, la concepción que entonces tenía del tiempo resultó inválida. Ya no fue vertiginoso su pasar ni agobiante su pasado, todo quedó suspendido en un vacío desgarrador.

En mi imposibilidad de revivir a Jorge, busqué en las religiones, en la parapsicología, en las habladurías esotéricas, pero no buscaba a Dios como una afirmación o una negación, sino como a una persona que me salvara, que me llevara de la mano como a un niño que sufre. Lo que antes había leído con juicio crítico, ahora lo absorbía como un sediento.

Volví a Jaspers. A las pocas páginas di con una cita de Epicteto: "El origen de la filosofía es percatarse de la propia debilidad e impotencia".

¡Cuántas veces, hundido en negras depresiones, en la más desesperada angustia, el acto creativo había sido mi salvación y mi baluarte! Creía entonces en Pavese cuando dijo que al sufrir aprendemos una alquimia que transfigura en oro al barro, la desdicha en privilegio. Pero la ausencia de Jorge es irreparable. Supe que ninguna obra nacida de mis manos me podía aliviar, y me pareció hasta mezquino que intentara distraerme, o aun pintar o escribir algo.

Temblando recordé uno de esos graves presagios que he tenido en la vida. Varios años antes de su muerte, yo me había propuesto escribir una historia sobre un hombre mayor, un artesano de pueblo, uno de esos hombres que son puro corazón y creyentes de la vida. Iba a tener como único familiar a una nieta a quien amaba y a quien le contaba hermosas leyendas. Mi intención era ponerlo en una situación límite: si perdía a su chiquita, por su gran bondad ¿seguiría creyendo en la vida? Yo no sabía cuál iba a ser la reacción de ese abuelo, esperaba que la intuición me guiara. Pero estaba tan inmerso en la pintura que no llegué a escribirlo.

Ahora siento a pleno el límite de la vida y el dolor ha detenido el tiempo en un ardor eterno.

Sé que Jaspers dice que "hay en las situaciones límite un impulso fundamental que mueve a encontrar en el fracaso el camino que lleva al ser", y también "que la forma en que experimenta su fracaso es lo que determina en qué acabará el hombre".

No sé. Sí puedo decir que el tiempo de mi vida se quebró, que después de la muerte de Jorge ya no soy el mismo, me he convertido en un ser extremadamente necesitado, que no para de buscar un indicio que muestre esa eternidad donde recuperar su abrazo.

En julio presentamos el *Romance de la muerte de Juan Lavalle,* en el Teatro Cervantes con la desinteresada participación de Mercedes Sosa. Fue para nosotros un homenaje que nos permitió revivir la emoción de hace treinta años cuando, por primera vez, le dio su magnífica voz al desconsolado dolor de Damasita Boedo.

Hacía un año que estábamos llevando esta cantata a las viejas y pobres ciudades del interior del país, como las antiguas Salta y Corrientes, la hermosa y heroica Jujuy. Ellas nos han ido rememorando los hechos de la historia y nos han entregado la belleza de la tierra. En Ushuaia quedé trastornado por las enigmáticas montañas del fin del mundo; también por los lobos marinos y las ballenas de Puerto Madryn.

Sé que mi idea de realizar el *Romance* no habría sido posible si no hubiera contado con un gran compositor del talento de Eduardo Falú, y con su voz excepcional.

En la ciudad de Resistencia tuve una experiencia que me parece decisiva. Fue a principio de año, durante la gran inundación del Paraná. Entonces me conmovió ver tanta pobreza y a la vez, tanta humanidad. Como si fuesen inseparables, como si lo esencial del hombre se revelara en sus carencias.

Las correntadas avanzaban como las crecidas de los grandes ríos de montaña, destruyendo sus casas, arruinando sus cosechas. En cualquier momento el Paraná podía derribar los muelles y quedar entonces sepultados la ciudad y los pueblos vecinos.

Cantidades de familias habían sido evacuadas, y en esa atmósfera de peligro, en medio de lluvias torrenciales, fue emocionante ver cómo se ayudaban unos a otros, ¡cuánta humanidad vimos aflorar en el peligro!

Fue tan revelador para Eduardo y para mí que decidimos colaborar con un trabajo que se desarrollará en un pueblo indígena de la zona del Impenetrable.

Es admirable la religiosidad con que viven los hombres de estos pueblos del interior; en su modo de sobrellevar la pobreza he encontrado rastros de una vida más poética. Son ellos los que tímidamente nos muestran valores que aquí sentimos ya sin vigencia, ya sin tiempo.

Paso junto a la puerta del cuarto donde murió Matilde, luego de una dura y larga enfermedad que la dejó postrada durante años. En estos tiempos en que el mal la vencía recibió el amoroso cuidado de las enfermeras y de Gladys, la fiel Gladys, que ahora sufre conmigo este dolor. La cuidaron como a una criatura indefensa. ¡Cuánto más grande es la mujer que el hombre! Matilde recibió la atención de médicos notables, y la ayuda de nuestra amiga Stella Soldi fue fundamental para sobrellevar esta dolencia.

Yo solía apoyarme al lado de su puerta, y poniendo el oído, me quedaba así, escuchando. La enfermera le hablaba como si ella le entendiera, hasta que le contestaba con una voz apenas audible, desde una lejanía indescifrable. En una ocasión, Matilde me contó que no había dormido en toda la noche. Me hablaba de un pájaro de color negro azulado, grande, hermoso, que se le acercó para decirle que estaba llegando el momento de su muerte. Había sido un sueño muy nítido, que le había dado una especie de paz.

Hasta que volvía la enfermera y yo me iba a encerrar en el estudio. Durante un tiempo muy largo permanecía sentado, como tantas veces, mirando hacia el jardín, sin saber qué hacer, sin ganas de nada, pensando en cosas oscuras e indeterminadas.

¡Cuánta congoja! Cómo va quedándose a oscuras esta casa en otro tiempo llena de los gritos de los niños, de cumpleaños infantiles, de los cuentos que Matilde inventaba por la noche para dormir a los nietos. Qué lejos, Dios mío, aquellas tardes en que venían a conversar con ella sus amigos, cuando la visitaba Julia Constenla o Ana María Novik.

Con enorme desconsuelo pienso en todo lo que ella debió soportar por mi culpa. Recuerdo la tarde en que la dejé en París, para irme con una mujer que había sido condesa en los años previos a la Revolución Rusa. Me la había presentado un príncipe que entonces trabajaba de taxista, con quien hablábamos sobre Chejov, Dostoievski, Tolstoi. La agitación que vivía durante el período surrealista era tal que, finalmente, abandoné a Matilde en el puerto, con el pequeño Jorge en brazos, cometiendo un acto horrendo que jamás ha dejado de atormentarme. Por eso, cuando en la calle, en el tren, se me acercan a darme la mano, o algunas mujeres y hasta ancianas religiosas me dicen: "Que Dios lo mantenga por muchos años todavía", me pregunto si lo merezco. Tantos fueron mis abandonos a aquella mujer que dio su alma y su vida por mí, por evitar, precisamente, que mis desalientos me llevaran a quemar todo lo que escribía. Fue siempre mi primera lectora, la más severa, pero también la más cariñosa. Sus sugerencias eran precisas. Matilde hacía una marca suave con lápiz negro al costado de la página, y siempre tenía razón.

Su coraje no la hizo aflojar jamás, sosteniéndome a pesar de toda clase de penurias. Pero también tuve otros dos vínculos, profundos, con mujeres que me cuidaron con infinita generosidad. Porque siempre necesité que me apuntalaran como a una casa vieja o mal construida.

En sus años finales, cuando la he visto desolada por su enfermedad, es cuando más profundamente la quise. Y pienso en el valor con que sufrió mi vida complicada, azarosa, contradictoria. A su lado pasé momentos de peligro, de amor, de amargura, de pobreza, de desengaños políticos y de tristísimos alejamientos, en que esperaba siempre a que el barco sacudido por oscuras tempestades regresara a la calma, y yo volviera a divisar el cielo estrellado, esa Cruz del Sur que marcaba nuevamente el rumbo, la misma que tantas veces, cuando éramos muchachos, habíamos contemplado desde algún banco de plaza. Y muchos, muchísimos años ante, el supremo misterio, la recuerdo cuando me farfulló aquellos versos de Manrique:

cómo se pasa la vida
cómo se viene la muerte
tan callando...

Esta tarde, mientras yo estaba jugando con Yasmín, la chiquita de Erika, llegó Luciana con su bebé de tres meses, mi bisnieto Ignacio, y recordé cuando Juan Sebastián era un chiquilín y ella lo cuidaba, siempre tan madrecita.

Después vino Mario a buscarme y me llevó a escuchar el coro que formó. Tiene un gran sentido de la música y es indudablemente un creador.

En este tiempo volví a entusiasmarme con la idea de abrir este lugar, donde hemos vivido, a la gente que me ha demostrado su devoción y su amor, a quienes me leyeron y me estimularon. Siento que, de algún modo, les pertenece; y me consuela que cuando ya no esté, esta casa, bajo el cuidado de Gladys, se mantenga con las puertas abiertas. Le he pedido a Graciela Molinelli que haga lo posible para cumplir mi deseo, y espero que entre todos la cuiden, las dos familias y los grandes amigos que siempre nos han acompañado.

Esta es la casa que con Matilde hemos venido a habitar hace casi sesenta años, donde transcurrió la infancia de nuestros hijos, donde filmó Mario sus primeras poéticas películas, donde vino a vivir con Elena y donde nacieron nuestros nietos Luciana, Mercedes y Guido. Donde pasamos pobrezas, pero también acontecimientos fundamentales de nuestra vida.

He separado los cuadros que quiero que permanezcan como patrimonio de la casa, y las primeras ediciones, junto a los libros de Matilde, a sus poesías y a sus cuentos inéditos. Quiero que todo en la casa quede tal cual está, con sus roturas y con sus paredes medio descascaradas. Como también el viejo samovar de la familia rusa de Matilde y la colección *Sur,* que albergó mis comienzos en la literatura.

Esta casa donde nació mi obra y donde murió Matilde, con la vieja araucaria, la morera y estos pinos centenarios.

Recibo cantidad de cartas de muchachos que se sienten al borde del abismo, no sólo de nuestro país, sino del mundo entero. Como la de aquel adolescente de diecisiete años que había leído mis novelas y me escribió desde una ciudad del interior de Francia. Me hablaba de Rimbaud en una carta hecha a mano, con tumultuosa desesperación. Me aterró porque presentí que podía llegar a suicidarse, ya que este drama es universal. Los chicos me hablan de sus tristezas, de las ganas de morir, me cuentan, también, cómo se aferran a Martín y a Hortensia Paz, porque los ayudan a resistir esta vida atroz y despiadada.

Siempre me han preocupado estos jóvenes cuyos ojos están destinados a la belleza, pero también al infortunio porque ¿qué más desventurado que un sediento buscador de absolutos?

En mi juventud, en distintas oportunidades tuve la tentación del suicidio, pero terminé salvándome al comprender el sufrimiento de todos los que se entristecerían con mi muerte. Siempre habrá alguien a quien nuestra ausencia resultará irreparable: una madre, un padre, un hermano; cualquier ser por remoto que fuera. Un entrañable amigo, hasta un perro basta.

Diego Curatella, que en estos últimos años trabaja conmigo, me recuerda lo que dice Camus: "No hay más que un problema filosófico verdaderamente serio: el suicidio. Juzgar que la vida vale o no la pena de que se la viva es responder a la pregunta fundamental de la filosofía". Y en momentos en que cavilo sobre la vida, sobre este enigmático final, cuando ya no tengo fuerzas para seguir escribiendo, cuando todo me parece absurdo e inútil, y este libro, sobre todo este libro, ¿qué clase de ánimo podría darles a quienes desesperadamente me piden auxilio? Diego me lee a importantes pensadores o me recuerda versos para mí olvidados; con su formación filosófica, me ha convencido de que debo concluir este libro por los jóvenes que, en medio del descreimiento, hoy más que nunca necesitan la palabra de sus escritores. Él me recordó lo que Bruno dice en una de mis novelas: "Cualquier historia de las esperanzas y desdichas de un solo hombre, de un simple muchacho desconocido, podía abarcar a la humanidad entera. Escribir sobre ciertos adolescentes, los seres que más sufren en este mundo implacable, los más merecedores de algo que a la vez describa su drama y el sentido de sus sufrimientos".

Y entonces continúo este testimonio, o epílogo, o testamento espiritual, de la manera que quieran nombrarlo, dedicado a esos muchachos y chicas desorientados, que se acercan en ocasiones tímidamente y, en otras, como los que buscan una tabla en el mar, después de un naufragio. Porque creo que tan sólo eso puedo ofrecerles: precarios restos de madera.

Me detengo a observar la fotografía de un pequeño lustrabotas que en la ciudad de Salta, se acercó
a abrazarme con gran emoción. Paso un tiempo largo observándolo, como uno de esos antiguos íconos
que nos hablan de un Dios remoto pero oculto en algún lugar. En el brillo de sus ojos parece que hubiera algo que lo elevase por encima de este mundo
donde todo es horror y miseria. Ese chiquito, en su
humildad de lustrabotas, me muestra a Dios. Un
Dios en cuya fe nunca me he podido mantener del
todo, ya que me considero un espíritu religioso, pero a la vez lleno de contradicciones, con instantes en
los que soy propenso a creer en actos demencial-
mente milagrosos, y épocas en las que vuelvo a caer
presa del pesimismo y la depresión. Quizá porque
uno espera mucho y a menudo es defraudado; sobre

todo, en momentos en que la vida nos va despojando de aquellos que han sido para nosotros, como dijo Cernuda: "Una pausa de amor entre la fuga de las cosas". Cómo mantener la fe, cómo no dudar, cuando se muere un chiquito de hambre, o en medio de grandes dolores, de leucemia o de meningitis, o cuando un jubilado se ahorca porque está solo, viejo, hambriento y sin nadie, como sucede ahora, ¿dónde está Dios? ¿Qué respuesta le diste a tu Hijo, cuando gritó aquella frase trágica? ¿No es lícito en estos casos una especie de maniqueísmo? Así, todo sería explicable, al menos para los hombres comunes, no para los teólogos que escriben miles de páginas para justificar tu ausencia. Como dice Dostoievski, Dios y el Demonio se disputan el alma del hombre, y el campo de batalla es el corazón de ese desdichado. Y si el combate es infinito, y si Dios no es tan poderoso como para vencer a su Adversario y si, como dicen muchos, venció el Demonio y lo tiene encadenado o, lo que aún sería más perverso, domina ya el mundo y hace creer a los candorosos que es Dios para desprestigiarlo, ¡qué horror!, ¿qué sentido tendría entonces la vida?

Muchos se han cuestionado la existencia de ese Dios bondadoso, que, sin embargo, permite el sufrimiento de seres totalmente inocentes. Una santa como Teresa de Lisieux tuvo dudas hasta momentos antes de su muerte; y en medio del tormento, las hermanas la oyeron decir: "Hasta el alma me llega la blasfemia". Von Balthasar dice que, mientras hubiera alguien que sufriese en la tierra, la sola idea del bienestar celestial le producía una irritación semejante a la de Ivan Karamasov. Sin embargo, luego muere en la fe más inocente, absoluta, como también Dostoievski, Kierkegaard, y el endemoniado Rimbaud, que en su lecho suplica a la hermana que le suministren los sacramentos.

Según Simone Weil, esa especie de mística blasfemadora, "El sufrimiento es la superioridad del hombre sobre Dios. Fue necesaria la Encarnación para que esa superioridad no resultara escandalosa". Y entonces, cuando abandono esos razonamientos que acaban siempre por confundirme, me reconforta la imagen de aquel Cristo que también padeció la ausencia del Padre. Y así como Machado ha dicho que ha buscado a Dios entre la niebla, en mi propia búsqueda he encontrado, en algunos pasajes de *Las confesiones de San Agustín*, una puerta que se entreabre, dejándonos el reflejo de una luz. Y al contemplar aquella escultura de María Magdalena, de Donatello, tan trágica y expresionista, me pregunto si a la fe se puede llegar sin esos atroces y, en apariencia, incomprensibles sufrimientos.

¿No ha sido un gran dolor el que dio nacimiento

al Oscar Wilde que preferimos? En aquella conmovedora carta final, recuerda que cuando era trasladado desde la cárcel hacia los tribunales, en medio de una muchedumbre, mientras avanzaba esposado delante de sus custodios, al levantar la cabeza vio cómo un amigo lo saludaba quitándose el sombrero. Y ante la grave solemnidad de aquel gesto, la multitud vociferante fue reducida al silencio. En su carta escribe: "Donde hay dolor hay un suelo sagrado". Esa experiencia lo alejó para siempre de sus antiguas extravagancias, y nunca volvió a frecuentar los salones de fiesta. La mayor nobleza de los hombres es la de levantar su obra en medio de la devastación, sosteniéndola infatigablemente, a medio camino entre el desgarro y la belleza.

Epílogo
Pacto entre derrotados

Hemos fracasado
sobre los bancos de arena del racionalismo
demos un paso atrás y volvamos a tocar
la roca abrupta del misterio.

URS VON BALTHASAR

Te hablo a vos, y a través de vos a los chicos que me escriben o me paran por la calle, también a los que me miran desde otras mesas en algún café, que intentan acercarse a mí y no se atreven.

No quiero morirme sin decirles estas palabras.

Tengo fe en ustedes. Les he escrito hechos muy duros, durante largo tiempo no sabía si volverles a hablar de lo está pasando en el mundo. El peligro en que nos encontramos todos los hombres, ricos y pobres.

Esto es lo que ellos no saben, los hombres del poder. No saben que sus hijos también están en esta pobre situación.

No podemos hundirnos en la depresión, porque es de alguna manera, un lujo que no pueden darse los padres de los chiquitos que se mueren de hambre. Y no es posible que nos encerremos cada vez con más seguridades en nuestros hogares.

Tenemos que abrirnos al mundo. No considerar que el desastre está afuera, sino que arde como una fogata en el propio comedor de nuestras casas. Es la vida y nuestra tierra las que están en peligro.

Les escribo un verso de Hölderlin:

El fuego mismo de los dioses día y noche nos empuja a seguir adelante. ¡Ven! Miremos los espacios abiertos, busquemos lo que nos pertenece, por lejano que esté.

Sí, muchachos, la vida del mundo hay que tomarla como la tarea propia y salir a defenderla. Es nuestra misión.

No cabe pensar que los gobiernos se van a ocupar. Los gobiernos han olvidado, casi podría decirse que en el mundo entero, que su fin es promover el bien común.

La solidaridad adquiere entonces un lugar decisivo en este mundo acéfalo que excluye a los diferentes. Cuando nos hagamos responsables del dolor del otro, nuestro compromiso nos dará un sentido que nos colocará por encima de la fatalidad de la historia.

Pero antes habremos de aceptar que hemos fracasado. De lo contrario volveremos a ser arrastrados por los profetas de la televisión, por los que buscan la salvación en la panacea del hiperdesarrollo. El consumo no es un sustituto del paraíso.

La situación es muy grave y nos afecta a todos. Pero, aun así, hay quienes se esfuerzan por no traicionar los nobles valores. Millones de seres en el mundo sobreviven heroicamente en la miseria. Ellos son los mártires.

Se los ve bajando de los trenes, de los ómnibus, después de inhumanas jornadas de trabajo, o desolados cuando no lo consiguen. Se los ve en las mujeres gastadas a los treinta años por los hijos y la urgencia de salir a trabajar por pagas miserables. Se los ve en los chicos de la calle, en los ancianos que duermen en los subtes. En todos los hombres abandonados en el sufrimiento y en su indigencia.

Una vez le preguntaron a Pasolini por qué se interesaba en la vida de los marginados, como el protagonista de *Mama Roma*, y él respondió que lo hacía porque en ellos la vida se conserva sagrada en su miseria.

En un archivo donde colecciono papeles, recortes que me ayudan a vivir, tengo una fotografía del terremoto que destruyó hace años Concepción de Chile: una pobre india, que ha recompuesto precariamente su ranchito hecho de chapas de zinc y de cartones, está barriendo con una vieja escoba ese pedazo de tierra apisonada delante de su casucha. ¡Y uno se hace preguntas teológicas! ¡Cuánto más demostrativa es la imagen de la pobre indiecita que sigue barriendo su casa y cuidando a sus hijos! Esta clase de seres nos revelan el Absoluto que tantas veces ponemos en duda, cumpliéndose en ellos, como dijera Hölderlin, que donde abunda el peligro crece lo que salva.

Cada vez que hemos estado a punto de sucumbir en la historia nos hemos salvado por la parte más desvalida de la humanidad. Tengamos en consideración entonces las palabras de María Zambrano: "No se pasa de lo posible a lo real sino de lo imposible a lo verdadero". Muchas utopías han sido futuras realidades.

Son muchos los motivos, me dirás, podrías decirme, para descreer de todo.

Los jóvenes como vos, herederos de un abismo, deambulan exiliados en una tierra que no les otorga cobijo. En este desguarnecimiento existencial y metafísico, sufren huérfanos de cielo y de techo. Comprendo tu congoja, el desconcierto de pertenecer a un tiempo en que se han derrumbado los muros, pero donde aún no se vislumbran nuevos horizontes. Falsas luminarias pretenden cautivar tu voluntad desde las pantallas. Debés de pensar que no hay un cambio posible cuando el valor de la existencia es menor que el precio de un aviso publicitario. El escepticismo se ha agravado por la creciente resignación con que asumimos la magnitud del desastre. La banalidad con que se degradan los sentimientos más nobles, degenerando al hombre en una patética caricatura, en un ser irreconocible en su humanidad.

Yo también tengo muchas dudas, y en ocasiones llego a pensar si son válidos los argumentos con que he intentado hallarle sentido a la existencia. Me reconforta saber que Kierkegaard decía que tener fe es el coraje de sostener la duda. Yo oscilo entre la desesperación y la esperanza, que es la que siempre prevalece, porque si no la humanidad habría desaparecido, casi desde el comienzo, porque tantos son los motivos para dudar de todo. Pero por la persistencia de ese sentimiento tan profundo como disparatado, ajeno a toda lógica —¡qué desdichado el hombre que sólo cuenta con la razón!—, nos salvamos, una y otra vez, sobre todo por las mujeres; porque no sólo dan la vida, sino que también son las que preservan esta enigmática especie. No en vano, en una de las culturas cuya sabiduría es milenaria, se creía que el alma de una mujer que moría en medio del parto era conducida al mismo cielo que el guerrero vencido en un combate.

Por eso te hablo, con el deseo de generar en vos no sólo la provocación sino también el convencimiento.

Muchos cuestionan mi fe en los jóvenes, porque los consideran destructivos o apáticos. Es natural que en medio de la catástrofe haya quienes intenten evadirse entregándose vertiginosamente al consumo de drogas. Un problema que los imbéciles pretenden que sea una cuestión policial, cuando es el resultado de la profunda crisis espiritual de nuestro tiempo.

Yo reafirmo a diario mi confianza en ustedes. Son muchos los que en medio de la tempestad continúan luchando, ofreciendo su tiempo y hasta su propia vida por el otro. En las calles, en las cárceles, en las villas miseria, en los hospitales. Mostrándonos que, en estos tiempos de triunfalismos falsos, la verdadera resistencia es la que combate por valores que se consideran perdidos.

Durante mi viaje a Albania, conocí a un muchacho llamado Walter, que había dejado su casa en la provincia de Tucumán, para ir a cuidar enfermos junto a la congregación de Teresa de Calcuta. Con cuánta emoción lo recuerdo. Siempre que veo las terribles noticias que nos llegan desde aquel entrañable país, me pregunto dónde estará, si acaso leerá estas palabras de reconocimiento a su noble heroísmo.

Son millones los que están resistiendo, vos mismo lo podés comprobar cuando ves a esos hombres y mujeres que se levantan a altas horas de la madrugada y salen a buscar un empleo, trabajando en lo que pueden para alimentar a sus hijos y mantener honradamente al hogar, por modesto que sea. ¿Te detuviste a pensar cuántos en todo el país comparten esta hambre por la dignidad y la justicia?

Miles de personas, a pesar de las derrotas y los fracasos, continúan manifestándose, llenando las plazas, decididos a liberar a la verdad de su largo confinamiento. En todas partes hay señales de que la gente comienza a gritar: "¡Basta!". Lo mismo ocurre con el movimiento zapatista en México, y con todos los movimientos que nos advierten del peligro que corre el futuro del planeta.

Hay que recordar que hubo alguien que derribó al imperio más poderoso del mundo con una cabra y una rueca simbólica. Una salida posible es promover una insurrección a la manera de Gandhi, con muchachos como vos. Una rebelión de brazos caídos que derrumbe este modo de vivir donde los bancos han reemplazado a los templos.

Esta rebelión no justifica de ningún modo que permanezcas en una torre, indiferente a lo que pasa a tu lado. Gandhi advirtió que es una mentira pretender ser no violento y permanecer pasivo ante las injusticias sociales. Por el contrario, creo que es desde una actitud anarcocristiana que habremos de encaminar la vida.

Ya no quedan locos, se murió aquel manchego, aquel estrafalario fantasma en el desierto. Todo el mundo está cuerdo, terrible, monstruosamente cuerdo.

Esa locura cuya ausencia León Felipe lamenta, es un acto similar a la del estoico Guevara, cuando abandonó todas las comodidades y partió hacia una lucha insensata en la selva boliviana, enfermo de asma, ya sin remedios para su mal; para terminar asesinado por despiadados y repugnantes bichos. ¿Qué importa si se equivocaba con el materialismo dialéctico? Eso mismo prueba su inocencia, su autenticidad. Luchaba por aquel Hombre Nuevo que hoy nos urge rescatar de los escombros de la historia. En su carta final les dice a los padres: "Queridos viejos, otra vez siento bajo mis talones el costillar de Rocinante, vuelvo al camino con mi adarga al brazo"; y entonces sale en busca de lo que Rilke llamaría su muerte propia. Esa es su grandeza, que algunos considerarán su chiquilinada, su tontería; pero estos gestos de heroísmo demencial son los que nos rescatan de tanta iniquidad, porque no se puede vivir sin héroes, santos ni mártires. Como esos estudiantes que en la plaza de Tian-An-Men, en una horrible masacre, murieron al imponerse ante el implacable acero de los tanques. Son ellos los que nos indican los caminos por los que la vida puede renacer.

Vivimos un tiempo en que el porvenir parece dilapidado. Pero si el peligro se ha vuelto nuestro destino común, debemos responder ante quienes reclaman nuestro cuidado.

Hace poco he visto por televisión a una mujer que sonreía con inmenso y modesto amor. Me conmovió la ternura de esa madre de Corrientes o del Paraguay, que lagrimeaba de felicidad junto a sus trillizos que acababan de nacer en un mísero hospital, sin abatirse al pensar que a éstos, como a sus otros hijos, los esperaba el desamparo de una villa miseria, inundada en ese momento por las aguas del Paraná. ¿No será Dios que se manifiesta en esas madres?

¿Por qué tendría que manifestarse sólo en poetas como Juan de la Cruz o en las sagradas pinturas de Rouault?

Si toda resistencia parece absurda cuando se presiente el fin, ¿por qué no detenernos a meditar en estos santos? ¿Acaso no son una muestra de que algo existe del otro lado del absurdo?

No sabemos si al final del camino, la vida aguarda como un mendigo que nos extenderá la mano.

Esta fe demencial, o milagrosa, se debe precisamente, a que hemos llegado a tocar fondo. Es necesario preservar los lugares que existen hasta en los suburbios de las grandes ciudades, donde aún se conservan los atributos del hombre concreto de carne y hueso.

Cuando el mundo hiperdesarrollado se venga abajo, con todos sus siderántropos y su tecnología, en las tierras del exilio se rescatará al hombre de su unidad perdida. Y quizá, cuando despertemos de esta siniestra pesadilla, cuando un vacío de humanidad nos duela en el pecho, entonces recordaremos que alguna vez fuimos aquello que dijo René Char: "Seres del salto, no del festín, su epílogo".

Me hablás de tu agitación, de una especie de temblor que te sobrecogió y aún perdura, luego de nuestra conversación en aquel café al oírme decir estas palabras.

Debés perdonarme; a pesar de los años, no puedo evitar ser desmesurado en lo que considero fundamental.

Por otro lado, ¡hay temblores que son tan importantes! Porque anteceden a esa clase de decisiones que sacuden los cimientos de nuestra existencia y, aunque generen incomprensión, terminan repercutiendo en el destino de los demás. Los grandes creadores realizan sus obras bajo tensiones similares. Sólo lo que se hace apasionadamente merece nuestro afán, lo demás no vale la pena.

También yo quise huir del mundo. Ustedes me lo impidieron, con sus cartas, con sus palabras por las calles, con su desamparo.

Les propongo entonces, con la gravedad de las palabras finales de la vida, que nos abracemos en un compromiso: salgamos a los espacios abiertos, arriesguémonos por el otro, esperemos, con quien extiende sus brazos, que una nueva ola de la historia nos levante. Quizá ya lo está haciendo, de un modo silencioso y subterráneo, como los brotes que laten bajo las tierras del invierno.

Algo por lo que todavía vale la pena sufrir y morir, una comunión entre hombres, aquel pacto entre derrotados. Una sola torre, sí, pero refulgente e indestructible.

En tiempos oscuros nos ayudan quienes han sabido andar en la noche. Lean las cartas que Miguel Hernández envió desde la cárcel donde finalmente encontró la muerte:

Volveremos a brindar por todo lo que se pierde y se encuentra: la libertad, las cadenas, la alegría y ese cariño oculto que nos arrastra a buscarnos a través de toda la tierra.

Piensen siempre en la nobleza de estos hombres que redimen a la humanidad. A través de su muerte nos entregan el valor supremo de la vida, mostrándonos que el obstáculo no impide la historia, nos recuerdan que el hombre sólo cabe en la utopía.

Sólo quienes sean capaces de encarnar la utopía serán aptos para el combate decisivo, el de recuperar cuanto de humanidad hayamos perdido.

Esta edición
se terminó de imprimir en
Grafinor S.A.
Lamadrid 1576, Villa Ballester,
en el mes de enero de 1999.